Las APARIENCIAS no ENGAÑAN

Juan Madrid

Las APARIENCIAS no ENGAÑAN

ALFAGUARA   BOLSILLO

ALFAGUARA

© 1982, Juan Madrid
© De esta edición:
   1996, Santillana, S. A. (Alfaguara)
   Juan Bravo, 38. 28006 Madrid
   Teléfono (91) 322 47 00
   Telefax   (91) 322 47 71

• Aguilar, Altea, Taurus, Alfaguara S. A.
Beazley 3860. 1437 Buenos Aires
• Aguilar, Altea, Taurus, Alfaguara S. A. de C. V.
Avda. Universidad, 767, Col. del Valle,
México, D.F. C. P. 03100

   ISBN:84-204-2759-4
   Depósito legal: M. 2.024-1996
© Diseño de colección:
   Miriam López y Jesús Sanz
© Ilustración de cubierta:
   Luis Miguel Pérez

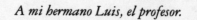

A mi hermano Luis, el profesor.

1

Madrid.

Por aquel entonces yo trabajaba de vigilante armado en una sala de baile llamada La Luna de Medianoche, que se encontraba en la calle Jardines, muy cerca de la Puerta del Sol. Allí tenía categoría de camarero y sueldo de lo mismo, aunque sin propinas. Llegaba sobre las diez y me marchaba a las cuatro de la madrugada, cuando cerraban, y todo lo que tenía que hacer era evitar que robasen y que no se extralimitaran los borrachos. Lo que me diferenciaba del resto de los empleados era la obligación de llevar siempre mi Gabilondo. De modo que todas las noches acudía a trabajar con el revólver en la funda de la cintura, porque en la sobaquera se notaba mucho con los trajes ligeros.

Para entrar en el local había que descender unos escalones enmoquetados hasta una especie de vestíbulo donde se encontraba el guardarropa. De allí partía otra escalera que conducía a los servicios y al cuarto de camareros, que solía permanecer cerrado. También del vestíbulo surgía la sala de baile propiamente dicha, con cabida para cuatrocientas personas sentadas y de pie, atendidas en dos grandes barras, cada una a un extremo del salón. La pista estaba en el centro y a la izquierda se encontraba la cabina de Charlie, el pinchadiscos.

El local estaba decorado en verde y blanco, y con las luces apagadas no se notaban las porquerías de la moqueta ni las quemaduras de los sillones, aunque poco debía de importarle eso a la gente ya que aguantaban sin protestar las bebidas de garrafa, las aglomeraciones y la mala ventilación.

Podía beber gratis, charlar con mi novia, Lidia, la chica del guardarropa, y, si todo estaba tranquilo, hasta descabezar un sueñecito en el sofá del despacho del jefe, en el piso de arriba. Lo malo de ese trabajo consistía en tener que pelear con los borrachos y en aguantar la estridente música moderna. Como no conozco ningún trabajo sin sus puntos flacos, me encontraba regularmente contento.

Una noche se acercó al guardarropa Blas, el encargado, que era un sujeto pequeño de bigotito blanco, que de joven había sido un peso gallo de cierta fama. Presumía de que llegó a aguantarle cinco asaltos a Jean Cracovian por el campeonato del mundo, aunque siempre sospeché que aquello era otra de sus mentiras.

Blas me miró largamente como tenía por costumbre, ya que nunca conseguí siquiera el campeonato de España, y me dijo:

—Toni, ahí hay unos tíos organizando follón.

Quité el codo del mostrador y apagué el cigarrillo en el cenicero. Lidia le sonrió, indicándome así que fuera amable con él. Fue ella la que contestó:

—¡Hola, Blas! —saludó—. ¿Mucho trabajo?

—Toni —repitió el encargado—, deberías darte una vuelta por el salón. Estás aquí para algo.

Yo tenía un vaso de gin-tonic al lado, bebí un poco.

—Qué cantidad de gente, ¿eh? ¡Y qué calor! —dijo Lidia.

—Toni —me tocó el hombro—. No te vendría mal un poco de curro de vez en cuando. Están ahí al fondo y son dos tíos con una furcia y otro con un acordeón. Ya se han bebido tres botellas de champán. Me gustaría que te acercaras.

—Ya los vi antes, están borrachos. ¿Qué hacen?

—Dicen que la música es una mierda y quieren salsa. Les he dicho que no.

—Eso no hace daño a nadie.

—Quieren que toque el del acordeón.

—¿El del acordeón?

—Sí.

En ese momento se escuchó a través de la estridente música de Charlie el sonido de un acordeón. Partía del fondo. La maraña de cuerpos y cabezas no me dejaba ver.

—Ahí los tienes —Blas señaló con el dedo—. Ya se han puesto a tocar.

Dejé el vaso y lo acompañé entre la gente hasta uno de los rincones. Estaba oscuro pero los distinguí enseguida. Me acerqué a ellos y sonreí. Los sujetos iban bien trajeados. Uno de ellos era de edad mediana, parecía fuerte y tenía el pelo ondulado, y el otro, que golpeaba la mesa con las manos, joven y rubio. La mujer reía a carcajadas palmeándose los muslos con ritmo. Era alta, tetona, de pelo muy negro y tenía aspecto de mulata. Sentado en el suelo, un hombre flaco de pelo ralo y cano tocaba el acordeón. El estrépito era de mil demonios.

Coloqué una mano en el hombro del viejo.

—No se puede —le dije.

—Yo no... —empezó.

Era muy viejo, demasiado viejo para estar en el suelo haciendo el ridículo.

11

—¡Eh! —le gritó al viejo uno de ellos. Era el del pelo ondulado—. ¡Sigue! ¿Por qué te paras?

—Lo siento —le dije—. No se puede tocar el acordeón.

—¡Se jodió! —exclamó la mujer. El joven siguió canturreando y golpeando la mesa—. Ya nos hemos quedado sin música.

—¿Qué te pasa a ti, eh? —la mueca en la cara del tipo de las ondas se acentuó—. ¿No te gusta la salsa?

—Mire —dije despacio—. No se puede. Lo siento.

—¡Vaya mierda! —graznó el rubio—. ¿Qué local es éste donde no se puede bailar?

—No es culpa mía —balbuceó el del acordeón y me dirigió unos ojos suplicantes—. Me han dicho que tocara.

—¡Cállate, mierda!

—Sí, señor.

—Por aquí hay lugares con música salsa —expliqué.

—Están cerrados —la mujer frunció la boca—. Y yo quiero bailar.

—Si digo que el viejo toca, pues toca —dijo de nuevo el que había hablado antes.

—Deje la fiesta correr —le dije—. Si quieren estar aquí, el del acordeón debe quedarse quietecito.

—¿Quién puede bailar con esos ruidos? —habló la mujer.

—Que pongan merengues —dijo el joven—. Un vacilón.

Soltó una carcajada, pero nadie rió.

—Ésta es la música que hay —dije—. A mí tampoco me gusta. Ya he dicho que el del acordeón no puede tocar.

El del pelo ondulado sacó un billete de quinientas pesetas y me lo ofreció en el aire.

—Toma y dile al chiquito de los discos que cambie de música. Yo quiero bailar salsa.

—Claro —dijo la mujer.

—No tenemos salsa.

—¿Qué pasa, te parece poco cien duros? ¿No es suficiente quinientas?

—A lo mejor le has ofendido. Dale mil o nos quedamos sin bailar —siguió la mujer.

El del pelo ondulado sonrió a la mujer y volvió a agitar el billete.

—No, encanto, con quinientas es suficiente. Y tú coge el billete y corre a cambiar la música. Si no, te vas a aguantar con nuestro acordeón.

—Se está poniendo pesado —dije.

—Nos quedaremos sin bailar, ¿verdad, cariño? —manifestó la mujer. Luego me dijo—: ¿Por qué es usted tan malo?

—Señora, cuando necesitemos una orquesta llamaremos al del acordeón. Se lo prometo.

—Eres un comemierda y te vas a aguantar con nuestra música —se dirigió al viejo—: ¡Toca, viejo, toca!

—No —dije—. Es suficiente con nuestros discos.

—Tu música te la metes por donde te quepa. No la aguanto. Es mejor la que toca el viejo. ¡Viejo, dale al acordeón!

—Señor, yo... —balbuceó el del acordeón.

—Si no le gusta esto, márchese. ¿Ha entendido?

—¿Ah, sí? ¿Y quién me va a echar, tú?

Se levantó. Efectivamente era fuerte y grande, de facciones regulares y labios carnosos. Se sabía guapo y quizá lo fuese.

—Anda, échame —enseñó los dientes.

El del acordeón se alejó en cuclillas.

—No, si es usted bueno. Nos gustan los buenos clientes.

—¿Pero quién es éste? —exclamó la mujer.

—El chulo de aquí —dijo el hombre.

—Vamos —dijo el joven rubio—. Por favor, quiero irme. Es mejor que nos marchemos.

—Antes bailaremos. ¡Eh, viejo! —chasqueó los dedos en dirección al del acordeón—. ¡Ponte a tocar!

Aquello era distracción gratis. Se había formado un grupo compacto de gente que miraba. Se acercó Blas.

—¿Qué pasa, Toni?

—A la calle de uno en uno —dije—. Ya me han cansado.

—Aquí no se puede tocar el acordeón, señor —dijo Blas.

—¡Apártate! —el del pelo rizado le empujó.

Blas se revolvió y le lanzó un corto al hígado y después un gancho a la barbilla. La mujer gritó y el tipo alto se enzarzó con Blas a puñetazos.

El joven rubio saltó de su silla y se me vino encima con un directo a la cara. Tenía el rostro lleno de cráteres y fue muy rápido. Lo esquivé con dificultad y bloqueé su izquierda, pero se revolvía como un gato. Me alcanzó en la entrepierna de un rodillazo, al tiempo que algo duro chocaba contra mi cabeza. Caí al suelo viendo fogonazos.

Cuando desperté, Lidia me sostenía la cabeza. Todas las luces estaban encendidas y no había música. Un corro de caras me observaba.

—No te muevas, tienes sangre.

—¿Dónde están, Lidia?

—Se han ido.

—¿Estás bien? —Blas me sonreía. Tenía un ojo marcado—. Les dimos de lo lindo.

—¿Por qué has dejado que se marcharan?

—Ha sido mejor que se fueran. Habían pagado todo.

Pude ponerme en pie.

—¿Quién me ha sacudido?

—La chica te ha dado con una botella. ¡La muy cabrona! —dijo Lidia.

Uno de los camareros, llamado Longares, recogía cristales. Se acercó Charlie.

—¿Pongo más marcha o nos vamos a casa?

—Sigue con la música —ordenó Blas—. Ya se han ido bastantes sin pagar. ¡Vaya noche!

Lidia me cogió el brazo y caminamos hacia el vestíbulo. De allí bajamos las escaleras. Su madre se santiguó al verme.

—¡Dios mío, cómo te han puesto! —exclamó.

—No grites, madre.

—No ha sido nada —dije yo—, se pasará con dos aspirinas.

—Quédate ahí que subo a buscártelas —contestó la vieja.

Pasamos al servicio. Me quité la chaqueta y Lidia me limpió la herida con una toalla mojada.

—¿Te duele? Se te ha formado un chichón de mucho cuidado.

—¿Los conocías, Lidia?

—Al viejo le llaman el Zazá Gabor. Anda tocando el acordeón por ahí.

—Muy bien. ¿Y los demás?

—No te muevas. Los tíos no sé quiénes son. ¿Por qué no dejas las cosas como están?

—Parecían sudacas.

Se encogió de hombros y siguió cuidándome la cabeza.

—Me parece que te van a tener que poner puntos.

—¿Y la tía, Lidia? ¿La conocías?

—Es la Colombiana, se llama Emilia y antes creo que hacía la calle en Valverde. Ahora, me parece que está de camarera.

—¿Dónde?

—No lo sé. ¿Por qué no te estás quietecito?

—¿Estás segura?

—No. Oye, Toni, te han dado un botellazo. ¿Por qué no te quedas tranquilo?

La vieja entró con dos aspirinas y un vaso de agua.

—Anda, tómatelas, hombre de Dios. ¡Jesús, qué trifulca!

Mastiqué las pastillas, bebí el agua y me volví a colocar la chaqueta. El cuello de la camisa se había manchado de sangre, al igual que la chaqueta. Tendría que poner en los gastos el precio de la tintorería. La cabeza me martilleaba pero ya no salía sangre de la herida.

—Gracias —les dije a las dos mujeres. Lidia me miró preocupada—. Ya es suficiente.

Subí las escaleras, me recosté en el mostrador y le pedí a Braulio un coñac doble. La gente había vuelto a bailar como si nada hubiera pasado. Las lucecitas giratorias de colores que lanzaba Charlie resultaban puñaladas para mi cabeza dañada. Braulio dejó la copa a mi alcance y dijo:

—Toni, me jodió mucho no poder ayudarte.

—No te preocupes, Braulio. ¿Conocías a esos tipos?

—No, no sé quiénes eran. Chulos, debían ser. Pero si los veo otra vez, se van a enterar. ¿Cómo te encuentras?

—Bien.

Estaba bebiéndome la copa cuando Blas se acercó desde el fondo del local. Me palmeó la espalda.

—¿Cómo te encuentras, campeón?

—Ya ha pasado el dolor.

—¿Qué te pasó?

—Nada, el chico fue más rápido. Eso es todo.

—¿Viste el gancho que le sacudí al alto?

—Sí, lo vi.

—Estuvo bueno, ¿eh?

—Sí.

Volvió a palmearme la espalda.

—Bueno, campeón, cuídate esa cabeza.

Se marchó. Braulio me ofreció otra copa y me la bebí de golpe.

Era un buen chico. Le había mentido a Blas con respecto a su edad para poder trabajar como ayudante de camarero. Algunas de nuestras clientas opinaban que era un muchacho guapo y que se parecía a Travolta.

Me quedé en el mostrador viendo cómo la gente se esforzaba por pasárselo bien. Pagaban para eso y no podían desperdiciar el dinero. El resto de la noche transcurrió pensando en el rubio de la cara picada y tuve tiempo de hacerlo porque no trabajé mucho. Antes de cerrar convencí a un borracho para que orinase fuera, pero eso no me costó demasiado esfuerzo.

Creo que aquello ocurrió mediada la primavera porque las noches aún eran frescas. A la salida nos despedimos de los compañeros y Lidia y yo bajamos caminando por Montera hasta la Puerta del Sol. De allí subimos por Esparteros hasta mi casa.

Qué poco sabía yo entonces lo que iba a significar en mi vida aquel muchacho rubio.

2

Pocos días más tarde volví a encontrarme con el rubio de la cara picada de viruela, aunque en circunstancias muy distintas. Lo vi en El Gavilán, un club de mala nota adonde yo solía ir los días que libraba en La Luna, que eran los miércoles. Iba a El Gavilán porque conocía a Baldomero, el dueño, de cuando era preparador de la Federación, y no porque El Gavilán fuese un club especialmente bueno. Era un local demasiado oscuro, estrecho y alargado y decorado con unos cuantos dibujos malos de pájaros. Baldomero lo había abierto con la idea de recibir a clientela selecta, pero desde entonces había pasado mucho tiempo. Los viernes y sábados solía haber tres mujeres en la barra, pero los días de entresemana y a última hora, acudían dos y con el aspecto de estar haciéndole un favor al dueño.

Serían las diez de la noche cuando entré al local y me acodé en el mostrador como es mi costumbre.

—¿Cómo estás? —me preguntó Baldomero.

—Bien —le contesté—. Ponme una cerveza.

Me la puso y la bebí lentamente. El local estaba vacío, excepto una de las mesas del fondo que estaba ocupada por dos figuras borrosas que se inclinaban sobre la mesa y hablaban en susurros y de forma contenida. No pude distinguir el aspecto que tenían, ni otro signo exterior, fuera de que eran hombres, uno de ellos joven y el otro gordo y un poco cabezón.

Precisamente el gordo cabezón se levantó de golpe de su silla y le sacudió una sonora bofetada al que tenía al lado. Sonó como un pistoletazo.

—¡Estúpido! —gritó.

La silla cayó al suelo y el tipo golpeado se levantó a su vez. Su mano salió disparada hacia la cara del gordo y se la cruzó dos veces sin mediar palabra. El gordo bufó, asombrado de que pudieran hacer eso con él. Los dos permanecieron en silencio, de pie y contemplándose.

El joven vestía cazadora de cuero negro y era rubio. Soltó una carcajada, metió la mano en el interior de su cazadora y sacó una enorme automática. Disparó varias veces sin hacer el menor comentario. El gordo fue despedido hacia atrás, abrió los brazos y chocó contra la pared. Comenzó a resbalar lentamente hacia el suelo con los ojos desmesuradamente abiertos y una expresión de asombro en la cara.

Me tiré al suelo, al tiempo que oía silbar las balas. Se clavaron en el mostrador a la altura de mi vientre y todavía deben de seguir allí, por si alguien quiere verlas.

El rubio perdió unos segundos acercándose al gordo y comprobando que estaba bien muerto. Después, con la velocidad de un gato, ganó la salida.

Me levanté y corrí tras él. Al llegar a la puerta, me incrusté contra el cuerpo de un individuo vestido de verde y con gorra de plato, que entraba. Caí hacia atrás con la sensación de haber tropezado con un buzón de correos.

El tipo ni se inmutó. Alzó la pierna sobre el cuerpo del gordo y, sin que se le hubiese movido la gorra, siguió su camino. Me puse de nuevo en pie y me lancé a la calle. Estaba desierta, no había ni rastro del rubio. Fui hasta el centro de la calzada y miré a ambos lados. Enfrente vi un enorme Mercedes negro que descansaba como una ballena en una playa desierta. Me acerqué y lo miré. Estaba vacío. Sobre el asiento trasero distinguí un abrigo azul arrugado. Pero al rubio parecía que se lo había tragado la tierra.

El tiroteo había durado un minuto escaso. Regresé a El Gavilán.

—¿Qué... qué ha pasado, Toni? —tartamudeó Baldomero, asomando la cabeza por el mostrador.

—Avisa a la policía —le indiqué.

—Sí, ahora mismo —desapareció temblando tras la puerta de la oficina.

El tipo del uniforme estaba agachado al lado del cuerpo del gordo. Lo observaba con atención. Me acerqué a él, y giró lentamente hasta darme la cara. Me sacaba la cabeza y, lo menos, diez kilos. Probablemente tuviera que hacerse la ropa a medida, sobre todo la chaqueta. Era grande, ancho de hombros hasta la desmesura y con el rostro cuadrado y azulado por la barba. Era de esos que necesitan afeitarse al atardecer si quieren parecer aseados. Sus ojos negros y pétreos reflejaban una absoluta indiferencia.

—¿Ha visto dónde se escondió el rubio? —le pregunté—. Salió un poco antes de que usted entrara.

—No volví la cabeza —contestó.

—¿Quién es? —le señalé el cuerpo del gordo.

—Mi patrón.

—Se lo cargó el chico rubio que vio salir. ¿Lo conoce?

—No.

—¿De quién es el coche que hay fuera?

Señaló el cuerpo del gordo.

—De don Valeriano Cazzo.

Le habían volado la parte posterior de la cabeza. Su sangre, mezclada con sesos y pelo, formaba un charco a su alrededor y manchaba su hermosa chaqueta. Me miraba desde el suelo con los ojos desorbitados y la boca entreabierta. Entonces le reconocí.

Como casi todo el mundo, yo también había oído hablar de Valeriano Cazzo. Era uno de esos sujetos que aparecen siempre en la televisión declamando en contra del aborto, el divorcio, la violencia y cosas así. Le llamaban el defensor de la familia y se decía que en cuanto se lo propusiera podría llegar muy lejos en política. Ahora no parecía gran cosa.

—¿A qué ha venido aquí su patrón? Éste no parece un lugar para él.

Se encogió de hombros.

—No lo sé, a mí no me consulta nada. Yo voy adonde me mandan.

Encendí un cigarrillo. El de la gorra dio media vuelta, caminó hasta una de las mesas, corrió una silla y se sentó. Todo en él era parsimonioso, lánguido, con esa calidad de movimientos que tienen los felinos.

Baldomero llegó de la cocina con una botella de coñac Torres que colocó encima del mostrador. Hizo un gesto al chófer y éste negó con un movimiento de cabeza. Yo la destapé y me aticé un trago de lo menos diez minutos. Baldomero hizo lo mismo.

—La poli vendrá enseguida —dijo—. ¿Está muerto?

—Como mi abuela —respondí.

—¡Dios mío, qué carnicería! —exclamó. Luego se dirigió a mí—: Toni, ¿crees que me cerrarán el local?

—Sí.

Adelantó la cabeza y observó cómo la sangre de Cazzo empapaba la moqueta.

—¿Quién es ése?

—¿Tampoco lo conoces? Es Valeriano Cazzo.

—¿El de la televisión?

—Sí, y ése es su chófer.

—¡Me cago en diez, ahora sí que me cierran el club! ¿A qué ha venido éste a mi local? —se dirigió al chófer—. ¿Por qué no se ha quedado en su casa?

El de la gorra se limitó a encogerse de hombros.

—¡Ay, Dios! —volvió a exclamar y se atizó otro trago de coñac—. ¿Por qué me ocurrirán a mí estas cosas?

Lo conocía desde bastante tiempo y sabía que ahora podría ponerse a llorar. Era bajo y flaco y se estaba quedando calvo por su manía de tintarse el pelo. Por aquel entonces lo tenía de color caoba subido. Se pasó la mano por la frente y se puso a mascullar palabrotas. Temblaba de arriba abajo.

—¿Habías visto a Cazzo antes por aquí, Baldomero?

—¡Qué ver, ni qué ver! ¡Nunca había pisado El Gavilán, me cago en la mar!

—¿Y al chico?

—Era la primera vez que venía.

—Enciende las luces y cierra la puerta. No vaya a venir un cliente despistado.

Lanzó otra interjección, dio la vuelta al mostrador, pulsó el interruptor y las luces se encendieron. Luego rodeó el cadáver y corrió el pestillo de la puerta.

Me acerqué al mostrador, destapé la botella y bebí de nuevo. El chófer seguía inmóvil, como si estuviera dibujado.

—Toni —me dijo Baldomero—. ¿Crees que debo telefonear a las mujeres?

—Claro, les ahorrarás muchas molestias.

—¿Por qué habrá ocurrido esto en mi establecimiento?

—El destino.

—¡Dios, no puedo mirarlo!

—Pues no lo mires.

Bajó la voz.

—¿Has visto a ese tío? Parece de madera. Ni se ha movido.

—Déjalo.

—Está ahí su jefe reventado y él tan tranquilo —elevó la voz—. ¿Oiga, quiere un trago?

—No, no bebo —respondió.

—Avisa a las mujeres, la policía está al venir.

—Sí, ahora voy.

—Y tápalo con un mantel o algo así.

—No, eso sí que no. ¿Quién me lo paga después?

—Te lo pagaré yo, pero tápalo. Tendremos que esperar mucho rato.

Lo cubrió con dos manteles viejos de plástico. Luego se fue a llamar a las mujeres y yo me quedé junto a la botella.

La policía llegó cuando el olor a sangre era ya insoportable. Primero entraron un cabo y un número de la Policía Nacional que permanecieron en actitud vagamente respetuosa en uno de los rincones. Después, dos de la Secreta. Uno de ellos era joven, llevaba el pelo esculpido a navaja y vestía un conjunto Cortefiel con chaleco. El otro podía tener sesenta años, el rostro cetrino y una nariz chata y corta que no le pegaba nada a su cara ancha y mal afeitada. El arrugado traje que usaba probablemente fuera ya antiguo diez años atrás.

Avanzaron hasta el centro del local y miraron con asombro el cadáver.

—¿Quién ha llamado? —preguntó el del chaleco.

—He sido yo, señor inspector —se adelantó Baldomero.

—Pues eres un imbécil. ¿Por qué no has dicho que había un muerto?

—Llama tú a la Brigada, González —ordenó el más viejo—. ¿Dónde está el teléfono?

—Por aquí, señor inspector, yo le indico.

El llamado González y Baldomero pasaron al otro lado del mostrador y entraron en la oficinilla. El otro se acercó a la botella de Torres y bebió un trago que duró un rato. Chascó la lengua y nos dirigió una mirada larga a cada uno.

—Bueno, ¿qué ha pasado? ¿No quería pagar?

Se lo conté lo mejor que pude, sin omitir de quién se trataba. Escuchó todo con atención y cuando hube terminado se acercó al cadáver de Cazzo, levantó el mantel y lanzó un silbido.

—¿No lo conocías? —preguntó.

—No.

—Eso es lo que tú dices. Dadme los carnés.

El chófer y yo le entregamos nuestra documentación y la observó con atención.

25

—Veamos —dijo—. Don Valeriano Cazzo estaba aquí sentado con el que ha huido. De pronto se ponen a discutir, se abofetean y, entonces, el que se ha escapado le suelta una ensalada de tiros. ¿Ha sido así?

—Así es como yo lo he visto.

El policía del chaleco, llamado González, salió de la oficinilla, acompañado de Baldomero, con un cigarrillo suspendido de la comisura de los labios. Llevaba el carné de Baldomero en la mano y se lo entregó al otro.

—El patrón dice que no vio nada. Se escondió bajo el mostrador cuando comenzaron los tiros.

—¿No sabías que era Valeriano Cazzo?

—No, señor, no —contestó Baldomero—. Era la primera vez que venían a mi establecimiento.

—¿Valeriano Cazzo? —se sorprendió el policía joven.

—Sí —afirmó el otro—. Es nuestro regalo esta noche. Nada menos que Valeriano Cazzo asesinado en un club de furcias.

El del chaleco levantó el mantel y contempló la cerúlea y gorda cara de Cazzo.

—¡Mierda! —exclamó—. Pero ¿qué ha pasado aquí?

El compañero se lo explicó con todo detalle. Cuando terminó, arrojó el cigarrillo al suelo y lo aplastó con el pie.

—¡Tenía que habernos tocado a nosotros! —masculló con furia.

El policía de la cara cetrina y ancha se sentó en una de las mesas y barajó los tres carnés. Observó al chófer, que se mantenía inmóvil, retrepado en una silla y apoyado en la pared. Luego volvió a mirarnos a Baldomero y a mí.

—¿Qué pintas tú en esto? —le preguntó al chófer—. ¿Que hacía aquí tu patrón? Éste no es lugar para Valeriano Cazzo.

En realidad no preguntaba nada. Emitía en voz alta un pensamiento que nos hacíamos todos. El chófer contestó con su voz ronca y profunda que no demostraba emoción alguna.

—Yo voy adonde me mandan. No pregunto.

—¿A qué hora llegó tu jefe?

—A las nueve y media —contestó—. Aparqué enfrente y me puse a esperar. No me dijo cuánto tiempo iba a estar aquí ni por qué venía. Sólo me dio la dirección de este club y yo lo traje. Estando sentado dentro del coche escuché ruido de disparos y entré. Vi salir corriendo a un chico rubio con una cazadora negra.

El policía le interrumpió.

—¿No viste que llevaba una pistola en la mano?

—No me fijé y, como no volví la cabeza, no sé qué hizo después.

—¿Cómo sabías que eran disparos lo que oíste? —preguntó entonces el del chaleco.

El chófer se encogió de hombros.

—He hecho la mili —contestó.

El policía viejo se bajó de la mesa y se acercó al lugar donde habían estado sentados Cazzo y el muchacho. Las sillas seguían tiradas en el suelo. Sus ojos se posaron sobre la desnuda mesa.

—¿Dónde están las consumiciones?

—¿Eh? —exclamó Baldomero.

Lo repitió con voz cansina.

—No pidieron nada la segunda vez.

—¿Qué quieres decir?

—Bueno, primero llegó el rubio y se sentó allí. Pidió cerveza. Yo se la serví...

—¿A qué hora entró? —cortó.

—Un rato antes de que llegara el señor Cazzo. Ya le he dicho que no supe quién era y...

—Abrevia.

—Pues eso. Le serví la cerveza y cuando entró el señor Cazzo se cambió a otra mesa. Me fui a acercar y dijeron que ya me avisarían si querían tomar algo más. Yo recogí el servicio de la otra mesa y...

—¿Lo limpiaste?

—Sí, señor. No tenía nada que hacer.

—Eres un imbécil —exclamó el del chaleco—. Has borrado las huellas.

—Yo no sabía —balbuceó Baldomero—. Lo único que yo...

—Un momento —le dije—. Si está interrogando a alguien, dígalo, porque tenemos derecho a un abogado que esté presente en el interrogatorio. Pero si lo que quiere es charlar con nosotros, está en su derecho, pero no insulte. No ha sido una noche agradable para nadie.

Se acercó despacio hasta donde yo me encontraba. Hedía a loción para después del afeitado.

—Sabes mucho, ¿eh? ¿Cómo te llamas tú, gracioso?

—Antonio Carpintero —dijo entonces el policía más viejo, consultando mi carné.

—Sí, y como dije al principio vine aquí a tomarme una cerveza. Entre mis manías no está el matar gente.

—Antonio Carpintero es un gracioso —dijo de nuevo el del chaleco.

—Después de cenar soy aún más gracioso —dije—. Todavía no he cenado.

—¿Ah, sí? Pues a mí no me gustan los graciosos, y menos, los chulos. ¿Te acuerdas de más chistes, tío gracioso?

—Estoy seguro de que estás acostumbrado a comer tíos. Pero ya he llenado mi cupo diario de cadáveres.

El rostro se le puso lívido. Apretó los puños y avanzó un paso en mi dirección.

—González —dijo el otro.

—¡Pero...!

—Déjalo.

—Si este tío dice una gracia más, no respondo.

—No merece la pena —hizo una pausa y preguntó—: ¿Dónde has aprendido a hablarle así a la policía?

—Fui policía.

Me miró fijamente.

—¿Estuviste en el Cuerpo?

—Salí hace cinco años. Puedes preguntar.

—¿Carpintero? No me suena.

—Todo el mundo me conocía como Toni Romano.

—¡Ajá! —exclamó—. Claro que me acuerdo. Te expulsaron, ya lo creo. Entonces yo estaba en Valencia, pero fue muy sonado.

—No me expulsaron. Me fui.

El del chaleco emitió una seca y corta risa.

—Expulsado... —masculló—, ¡cómo me jodéis todos vosotros!

—¿Por qué te fuiste? —preguntó de nuevo el otro policía.

—Eso es asunto mío.

—Habla bien cuando se te pregunta, listo.

Me había colocado el dedo en el pecho y lo empujó varias veces. Baldomero carraspeó.

—¿Preparo unos cafés? —preguntó—. ¿Quiere usted un café, señor comisario?

—Solo y sin azúcar, y no soy comisario, sino subcomisario —se volvió a los policías nacionales—. ¿Ustedes quieren algo, señores?

—Un café, señor comisario —dijo uno de ellos, un muchacho barbilampiño y alto. El otro pidió un refresco.

—¿Y tú, González? —preguntó de nuevo el policía viejo.

Retiró el dedo de mi pecho y dejó de fulminarme con la mirada.

—No quiero nada —contestó.

—¿No quiere una coca-cola, señor inspector? —le preguntó Baldomero.

—Bueno.

Baldomero pasó al otro lado del mostrador y comenzó a manipular la cafetera.

—¿A quién más le preparo algo? —dijo—. ¿Tú quieres otro, Toni?

—Sí —contesté.

—Siéntense —dijo entonces el policía más viejo, dirigiéndose a los policías nacionales—. Tenemos para rato.

Los de uniforme se sentaron en uno de los sofás del rincón y yo lo hice en la primera silla que encontré. Prendí un cigarrillo. Con la luz encendida, El Gavilán mostraba toda la sordidez y el abandono de sus descoloridas paredes y de su opaco suelo, quemado por miles de colillas. La sangre impregnaba el ambiente de un olor dulzón y obsceno.

Nadie dijo ya nada más.

Escuché la sirena de la ambulancia cuando mi cigarrillo número cinco se consumía. Cortaron la calle, expulsaron a los curiosos que se habían agolpado en la puerta, y no molestaron demasiado.

El forense, el juez y los de identificaciones realizaron su trabajo con prontitud, de manera que, un poco antes de que amaneciera, hice el viaje a la DGS en el asiento trasero de un Zeta, embutido entre dos guardias que sudaban demasiado.

Entramos por la puerta que hay en la calle Correo y subimos al segundo piso, donde están las oficinas de la Brigada. Por el pasillo vi al chófer y a Baldomero. Me dejaron en un despacho en compañía de unas esposas.

A las tres horas me las quitaron, me palmearon la espalda y me permitieron tomar café y fumar. Supe entonces que habían hecho las comprobaciones balísticas y que por lo tanto sabían que no me había cargado a nadie.

Más tarde, un sujeto con gafas de montura de carey se identificó como jefe de la Brigada de Investigación Judicial. Estaba acompañado de otros dos y del policía de cara cetrina y me dijo:

—Carpintero, ha tenido usted suerte. Su licencia de armas está al día y lo que ha dicho parece sensato. De todas formas, ya sabrá que no podrá moverse de Madrid hasta que declare ante el juez.

—Conozco los trámites —contesté.

—Bien —continuó—. Ahora nos interesa una cosa. ¿Vio dónde se escondió el asesino?

—No.

—¿Está seguro?

—Sí, no vi a nadie. La calle estaba desierta.

Me observaron en silencio, como para comprobar si mentía. Luego se marcharon dejándome solo. Hasta las siete de la mañana no pude ir a dormir a mi casa, que está a dos pasos de la DGS.

3

Durante veinte interrogatorios, repetidos en días sucesivos, conté otras tantas veces lo que había visto y hecho. Y otros tantos policías, casi con la misma cara y gestos que los anteriores, opinaron sobre lo que yo debería haber hecho y no hice. Después, pasé muchas horas en los sótanos revisando fotografías de terroristas y pistoleros profesionales y ayudando a elaborar un retrato robot del rubio. Terminé con los ojos escocidos.

Cuando ya hube visto todas las fotografías, me hicieron subir al despacho del policía de cara cetrina, que se llamaba Frutos. Era el subcomisario Francisco Frutos.

Llevaba el mismo traje que la primera vez que nos vimos y aún no se había afeitado.

—Siéntate —me indicó—. ¿Has reconocido a alguien?

—No, en el Gavilán no había luz. Tenía el pelo rubio, no muy largo, cicatrices de granos en la cara y un rostro alargado —repetí por enésima vez—. Eso es todo lo que recuerdo.

—Era un profesional, y muy bueno.

—Hay pocos profesionales como ése. ¿Qué pasa, no funcionan los confidentes?

—Con los sudamericanos no hay confidentes que valgan, son gentes de paso. ¿Sabes cuántos hay en España? Yo, no. La mayor parte de ellos entran ilegalmente desde Francia, Marruecos o Portugal, están un tiempo por aquí y se marchan. Lo de los confidentes no sirve.

—Y por el lado de Cazzo, ¿qué se ha averiguado?

Me enseñó los dientes, en lo que él llamaría una sonrisa. Los tenía cariados y sucios.

—Nada, nadie sabe qué hacía en El Gavilán. Ni su esposa, ni el chófer, ni sus amigos... Lo único que sabemos es que, al parecer, Cazzo le dijo al chófer que quería entrar allí y no dio explicaciones.

—Pero aquel muchachito le estaba aguardando. A mí me dio la impresión de que su muerte fue accidental. Si hubiese querido cargarse a Cazzo, ése sería el último lugar que hubiera elegido.

Otra vez me enseñó los dientes.

—Puede ser. Pero yo de ti me mantendría calladito. Nada de cavilaciones propias.

Se levantó de pronto y se puso a pasear por el despacho. No era tan viejo como parecía. Sólo estaba avejentado y probablemente sin esperanzas de ascender.

Se volvió con las manos en los bolsillos.

—No hagas declaraciones a los periódicos, Carpintero. Los de arriba quieren que se lleve esto con mucha cautela. El chófer y el patrón de El Gavilán se han comprometido también a lo mismo. El asesinato de Cazzo en aquel club es una carnaza muy jugosa para la prensa —titubeó un poco—. La versión que vamos a dar es un poco diferente a la que tú conoces.

—Comprendo, estoy acostumbrado.

—Quiero tu palabra de que no vas a abrir la boca.

—De acuerdo. No me interesa hacer declaraciones a nadie.

34

—Cazzo era un político muy importante, aparte de un hombre de empresa. La prensa empezaría a hacer cábalas sobre su presencia en un club como El Gavilán y su familia quiere evitar esto.

—Espero que encuentres a ese rubio y te asciendan a comisario. No seré yo quien te lo impida.

Me miró por si me estaba riendo de él, pero como no moví un solo músculo, paseó un poco más por la habitación, se sentó en su mugrienta silla y se despidió de mí. Abandoné el despacho.

Por supuesto, no le dije a nadie que el rubio que se había cargado a Cazzo había sido visto en La Luna de Medianoche. Aquello sólo habría traído complicaciones.

Días después recibí una esquela escrita a máquina de una tal Lucía Bustamante, viuda de Cazzo, en la que me daba las gracias «por mi valentía y sentido del deber» y me invitaba al sepelio de su marido. No fui y se me fue olvidando el asunto. Los periódicos me lo recordaron algún tiempo, aunque de forma diferente a como yo lo había vivido.

Una semana después de recibir la carta de la viuda, acudió a mi casa Santos el Calvo y todo empezó de nuevo.

A Santos el Calvo lo conocía de cuando yo estaba en la Comisaría de Centro y ya entonces no me gustaba nada. Siempre había sido calvo, sin un pelo en la cabeza, y con el aspecto de un levantador de pesas. Su cara ancha, de pómulos altos y labios gruesos, se movía constantemente como si estuviera aquejado de un tic nervioso. Le gustaba vestir bien y esa mañana llevaba un traje negro a rayas con corbata roja de lunares. Con la tela del traje se podía haber hecho una tienda de campaña.

Después de una serie de palmadas en la espalda y de una sarta de gruñidos más o menos amistosos, me hundió el sofá-cama con su corpachón. Los muebles gimieron.

Yo seguí bebiendo café.

—Bueno, bueno, Toni —empezó—. Cuánto tiempo sin vernos, ¿verdad?

—Una eternidad, Santos.

—Te veo bien, te conservas como en salmuera, ¿eh? Y los negocios, ¿cómo te van?

—No me quejo.

Recorrió el cuarto con la mirada.

—¿Sí?

—Tengo a los braceros del cortijo en huelga. Por lo demás, todo funciona.

—Ya veo.

Suspiró y cruzó las piernas. Extrajo del interior de su chaqueta una pitillera dorada, la abrió y me ofreció tabaco. Negué con un gesto.

—Prefiero de los míos, Santos. Ahora dime qué te ha traído a mi casa.

Cada uno encendió su cigarrillo. Santos carraspeó.

—Verás, he leído los periódicos...

—¿Sí?

—... el asunto ése, Cazzo.

—¿Qué pasa con él?

—Nada, que era amigo mío. Mejor dicho, conocido.

—¿Y qué más?

—Cuando me enteré de tu participación me dije: «Hombre, mi viejo compañero Carpintero sigue en forma» —hizo una pausa y arrojó ceniza al suelo—. Estuviste muy bien, rápido y seguro. Fue muy bueno aquello en El Gavilán.

—No, no fue nada bueno. El otro consiguió escapar delante de mis narices.

—Sí, me enteré en Jefatura. La pena fue que no pudiste evitar que se cargaran a Cazzo. Era un buen hombre, no le conocí mucho, pero me gustaba. Un caballero de una pieza.

—No lo pongo en duda. El Gavilán está lleno de caballeros. ¿Has venido a decirme eso?

—Es que tengo muchas preguntas que me bullen en la cabeza —volvió a agitar la cara y me clavó los ojos—. ¿No pudiste hablar con él?

—Un momento, Santos, ¿qué estás diciendo?

—Hombre, pensé que pudiste haber hablado con él.

—No.

—En Jefatura me dijeron que saliste a la calle y que al muchacho parecía que se lo había tragado la tierra. ¿No viste a nadie?

—No, no vi a nadie.

Se pasó la mano por la calva, después la dejó en la frente.

—Ya —intentó repetir el gesto pensativo, no le salió—. Parece raro...

—Al grano, Santos. ¿Qué es lo que quieres?

—No seas susceptible, sólo quiero charlar contigo.

—¿De qué?

Se movió inquieto.

—Cazzo era..., digamos, muy importante. ¿Me sigues? Tú, el chófer y ese Baldomero, el dueño, os quedasteis solos mucho tiempo con el cadáver... Bueno, ¿de verdad no viste dónde se escondía el asesino?

37

—No.

—¿No te has preguntado por qué entró el chófer en El Gavilán? Los chóferes se suelen quedar en los coches, ¿no?

—No me he hecho ninguna pregunta. Y no me importa lo que Cazzo o el chófer buscasen en El Gavilán. No me interesa.

—¿Le dijo algo Cazzo al que le disparó? ¿Un nombre, algo? Acuérdate.

—Todo lo que sé está en la declaracion que firmé ante el juez, Santos. ¿A qué viene tanta preocupación?

—Has demostrado que sabes hacer las cosas bien. ¿Por qué no haces memoria? Redundaría en tu beneficio.

—Mi beneficio es beberme este café tranquilo, Santos. ¿Tienes algo más que decirme?

—Pienso que tú eres la persona idónea para hacernos un favor —adelantó el corpachón hasta casi meter la cabeza entre las piernas—. Escúchame, he hablado muy bien de ti a unos amigos, queremos que nos ayudes a contestar unas cuantas preguntas.

—No.

—Esas preguntas se las hacen amigos míos muy importantes, Toni, y estarían dispuestos a pagar bien por saber las respuestas.

—No.

—Escucha...

—No, Santos.

—No seas panoli. Es pasta buena —frotó el indice y el pulgar—, dinero.

Todavía quedaba café en la cafetera. Lo eché en la taza e intenté beberlo, estaba frío. Santos me había arruinado la mañana. Apagué el cigarrillo arrojándolo al café.

—No quiero saber nada de ese asunto. De todas formas, gracias por proponérmelo.

—¿Dónde está el chófer?

Sus ojos brillaron de ansiedad.

—¿Y a mí qué me cuentas?

Santos suspiró y se revolvió en el sofá. Los muelles volvieron a crujir.

—¿No has vuelto a ver a ese chófer? —insistió.

—Oye, Santos, ¿por qué habría de verlo otra vez? Acude a la policía y te enterarás de todo. Yo no sé más de lo que sabe la policía.

—La policía —sonrió—. No quiero nada con la policía. Esto es un asunto reservado.

—Te he dicho que no me interesa.

—Me pongo en tu lugar, yo tampoco hablaría. Pero te estoy ofreciendo dinero a cambio de refrescar la memoria, y nadie se enteraría. Enfócalo como un trabajo.

—Te he dicho que no quiero ese trabajo. Más claramente aún, no trabajaría para ti, ni para ninguno de tus amigos, así fuera el último trabajo sobre la tierra.

Se me quedó mirando. La colilla le quemó los dedos y la lanzó al suelo con violencia. Después la pisó con sus Martinellis negros de cinco mil pesetas, terminados en punta.

—Hablas con claridad.

—Te lo he intentado decir todo este tiempo, Santos.

—Muy bien, Toni, pero a lo mejor te arrepientes.

—¿No tienes nada que hacer?

Se levantó como impulsado por una catapulta. Yo no me moví. Agitó su cara más aún de como acostumbraba y finalmente caminó hasta la puerta, la abrió y cerró con suavidad. No me habló ni me miró.

Permanecí un buen rato sentado. Luego me levanté y preparé otro café intentando comenzar la mañana de nuevo. Fue inútil, incluso me fumé, vanamente, un Flor de Cano de cien pesetas para disipar su imagen.

4

Otro día, reconocí la voz cascada de Frutos, el policía, en el teléfono. Eran las ocho de la noche y yo tenía que trabajar.

—Aquí, Frutos —ladró—. Quiero que veas algo que te gustará. ¿Puedes venir a mi despacho?

—Me gano el pan, no soy policía —le respondí.

—Será poco tiempo —me dijo y colgó.

De modo que tuve que cruzar la calle Esparteros, caminar por la Plaza de Pontejos y entrar otra vez en la DGS por la puerta de la calle Correo.

Golpeé el cristal de la puerta de su despacho y escuché su voz ordenándome entrar.

Llevaba un traje distinto esta vez, pero tan raído como el anterior. Por lo demás, necesitaba apurarse mejor la barba y que un peluquero distinto al de la policía le arreglara el cabello.

No se movió cuando me vio entrar. Hizo un gesto y me acomodé en una silla frente a la mesa.

Fumaba uno de sus cigarrillos liado a mano y la ceniza caía sobre su barriga y la superficie gastada de la mesa sin que pareciera importarle.

—Quiero que veas esto.

Me tendió unas fotografías. Eran cuatro de las utilizadas en el departamento de identificaciones. En ellas, desde distinto ángulo, se veía un trozo de calle y el cuerpo de un hombre despachurrado sobre los adoquines.

—¿Lo reconoces?

—No lo reconocería ni su madre. ¿Quién es?

—Baldomero Silva, el patrón de El Gavilán. Saltó desde el balcón de su casa. Vivía en un noveno piso. Mañana lo leerás en los periódicos.

Dejé las fotos sobre la mesa.

—¿Cuándo ha sido?

—Hoy, después de comer. Aún no han debido limpiar la calle. Yo mismo me acerqué a verlo. El piso estaba limpio, sin huellas ni señales de lucha. Según parece se desesperó por la clausura de su local y se tiró por el balcón.

—¿Por qué me has llamado?

—Era amigo tuyo.

—Iba de vez en cuando a su club a tomar una cerveza, eso no lo convertía en un amigo íntimo. ¿Qué es lo que ha pasado?

—Baldomero era un pobre diablo, vivía de las furcias que alternaban en su local, pero ni siquiera era un buen chulo. Parece que las tías le sacaban más pasta de la que él ganaba. Estaba arruinado y el cierre del local lo debió de joder aún más. Además era débil y depresivo, se contradijo muchas veces en las declaraciones sobre el asunto Cazzo. No es extraño que le den carpetazo como suicidio. No tenía familia ni amigos.

Se quedó en silencio mirando al techo. Pareció despertar y más ceniza se desparramó camisa abajo.

—También quería decirte que sabemos algo más del chico rubio, es un pistolero cubano. La Interpol nos ha enviado una descripción completa. Se hace llamar Rogelio Cruz, alias el *Dedos*. Otras veces aparece como Francis Delacroix y hay otros alias. Tiene veintinueve años y ya ves, no sabemos mucho.

Me tendió otra cartulina por encima de la mesa. Reconocí el pelo liso peinado hacia atrás. Por lo demás era un rostro vulgar, nariz grande y mirada cínica. Se la devolví.

—¿Lo conoces?

—No.

—Hemos investigado en los lugares frecuentados por sudamericanos y se han batido pensiones y hoteles de mala muerte. Estamos igual que antes. ¿Tú no has sabido nada?

—¿Tenía que saberlo?

—No me gustan las bromas, soy gallego.

—Me has llamado y he venido. He escuchado todo lo que querías que escuchara. ¿Quieres que colabore en una colecta para enterrar a Baldomero?

—Ahora comprendo cómo dejaste tan pocos amigos en el Cuerpo. Si das un paso en falso te quitaremos la licencia de armas y entonces tendrás que trabajar de guardacoches.

—Frutos, ayer vino a verme un ex policía llamado Santos, debe ser de tu promoción. Sé que trabaja en asuntos de seguridad en una gran empresa, pero no sé cuál es. ¿Lo conoces?

—Santos... Sí, lo conozco. ¿Y dices que fue a verte? ¿Qué quería?

Lo sabía, aunque disimuló muy bien. Si él era un viejo policía, yo también lo había sido.

—Saludarme.

—Ya.

—Vamos a dejarnos de jugar, Frutos. Me has llamado porque sabes que Santos ha venido a ver-

me. Nunca me harías acudir a tu lado para ense-
ñarme fotos.

Golpeó la superficie de la mesa con un lápiz
despuntado.

—Está bien, de acuerdo. Sé que Santos ha ido
a verte, dime qué quería de ti.

—Es curioso cómo vuelan las noticias. Dime:
¿enviaste tú a Santos o es que los dos trabajáis para
el mismo patrón?

—Ten cuidado, te recuerdo que no me gustan
las bromas —apretó los dientes—. Tú sabes más de
lo que das a entender.

—También es posible que me tengas vigilado. ¿Me tienes vigilado, Frutos?

—Déjate de tonterías y respóndeme a unas cuantas preguntas, Antonio Carpintero. Y no te pases de
listo —se retrepó en el sillón y entrecerró los ojos—.
¿Qué te ha contado Santos?

—Nada en particular. Sugirió que podría ga-
nar dinero ejercitando mi memoria.

—¿No te dijo nada acerca de Zacarías Sánchez, el chófer?

—Parecía muy interesado en él. ¿Qué ocurre
con ese chófer?

—Uno de los amigos de Cazzo nos ha comunicado un detalle de suma importancia. Es un pez
gordo muy influyente que no se encontraba en Madrid cuando mataron a su amigo y nos ha dicho algo
interesante.

—¿Está involucrado el chófer?

—Según lo que nos dijo, sí. Pero no hay manera
de encontrarlo. Ha desaparecido de su casa y ya no trabaja con la viuda de Cazzo, fue despedido. Tampoco se
le ve en los sitios que frecuentaba habitualmente.

—¿Qué tengo yo que ver con él?

—Toni, en la Brigada tienes muchos enemigos, tú lo sabes. La mayoría opina que mentiste en tu declaración, aunque coincide con la que en su día dio el chófer y el patrón de El Gavilán y no podemos demostrar lo contrario. ¿Me sigues? Con lo que le ha pasado ahora a Baldomero... y la declaración del amigo de Cazzo, la cosa se complica bastante... Estamos seguros de que ese chófer es la clave del asesinato de Cazzo. Comprendo perfectamente que no quieras meterte en follones, yo mismo te lo aconsejé. Pero ahora es diferente, estamos tras una buena pista y no podemos desaprovecharla. Te prometo que si colaboras con nosotros yo mismo presionaré para que te readmitan otra vez. Todos saldremos ganando si aclaramos el caso.

—Dejé de estudiar chino en el bachillerato, ya no me acuerdo. Prueba ahora en castellano.

—Puede que olvidaras algo..., no te lo censuro. Dímelo y te prometo que nadie se enterará... ¿Qué hizo el chófer en el cuerpo de Cazzo? Sabemos que le quitó algo. Dímelo, Toni.

Me puse en pie.

—Tú y Santos estáis locos. Declaré exactamente lo que vi. Y no vuelvas a llamarme, Frutos.

Abrí la puerta y me fui. Estoy seguro de que Frutos se quedó mirándome con ojos de odio.

5

No sé si ustedes conocen mi barrio por las mañanas, cuando las mujeres van a la compra, los vagos se deciden a pasar el día recostados en las arcadas de la Plaza Mayor y los vendedores ambulantes se mezclan con los niños que han faltado al colegio. Por las mañanas mi barrio es más alegre, ruidoso y distinto al que habrá por las tardes y por las noches. Si no se vive en un barrio como el mío, no se sabe de lo que estoy hablando. En primavera, cuando no hace frío ni calor, se puede pasear sin hacer nada, el único privilegio del pobre en Madrid.

 Aquella mañana yo no iba a pasear, necesitaba buscar a alguien que me diera alguna pista, y ése podía ser Ricardo, el camarero de La Joya, el rey de los bocadillos de calamares.

Subí por la calle de Postas hasta el bar y entré en él. No había casi nadie porque era demasiado temprano. Ricardo, con la cara tan blanca como siempre, limpiaba los vasos.

—¿Qué tal, Toni? ¿Qué te pongo? —me dijo al verme entrar.

Me recosté en el mostrador de zinc.

—Un café solo.

Lo puso y me lo bebí. Luego encendí un purito Flor de Cano y le pregunté:

—Ricardo, estoy buscando a un tío grande, de unos cincuenta años y con el pelo ondulado y a un músico ambulante que toca el acordeón, llamado el Zazá Gabor, y una tía mulata a la que llaman la Colombiana. Cualquier cosa que me digas sobre esos sujetos te lo agradeceré.

Se quedó pensativo.

—Conozco a Zazá Gabor. ¿Es un viejo flaco?

—Ese mismo.

—A lo mejor su hermano, el Rey Mago, sabe dónde vive.

—¿El Rey Mago es su hermano?

—Eso dicen.

Expulsé una bocanada de humo al aire. Recordaba al Rey Mago, ya lo creo. Una vez lo tuve en Comisaría a causa de una denuncia por bujarrón. El niño se chivó a su padre y éste vino a nosotros. Cuando los muchachos de guardia le calentaron la badana yo me hice el desentendido. Pero creo recordar que no hubo pruebas y se fue a la calle.

Le di las gracias, pagué y salí.

En la Plaza Mayor me tropecé con el Loco Vergara. El Loco Vergara va siempre con una camisa azul mugrienta y llena de medallas. Estaba parado frente a la estatua de Felipe III con el brazo en alto cantando el Cara al Sol. Me solía confundir con otra persona.

—¡A sus órdenes, mi comandante! —dijo al verme.

—Descanse, cabo. ¿Cómo te va la vida, Vergara?

—Sin novedad, mi comandante —sus ojillos febriles recorrieron la Plaza. Me susurró al oído—: Esto está lleno de comunistas.

—No te preocupes, Vergara.

—¿Tiene un purito, mi comandante?

Le di mi último Flor de Cano, que guardaba para la hora del aperitivo. Lo mordió, se lo encendí y me palmeó la espalda.

—Cojonudo, mi comandante, cuando quiera nos liamos a matar comunistas. Están en todos sitios, pero yo vigilo.

—Vale, otro día. ¿Sabes dónde puedo encontrar al Rey Mago?

—¿A ese maricón?

—Quiero hablar con él.

Se quedó pensativo.

—Tiene una tienda de ropa ahí, en Cava Alta —acercó su rostro chupado y sin afeitar al mío y continuó—: Todo está lleno de comunistas, mi comandante. Ahora se pasean por todos lados. Pronto va a haber otra Cruzada.

—Entonces me avisas, Vergara.

—Ya no hay cojones, mi comandante. Antes no se dejaba con vida a los comunistas, y ahora...

—Espero que eso no te ponga triste, Vergara.

—No, mi comandante, pero antes..., antes era otra cosa.

—Bueno, hombre.

—Gracias por el purito, mi comandante.

Lo dejé cantándole el Cara al Sol a la estatua y bajé la calle Toledo rodeado de gente sin prisa, que marchaba a sus asuntos con paso lento.

Entré en Cava Alta y me detuve frente al número cuatro. Rey Mago tenía una tienda de ropa usada en el tercero A. Lo anunciaba un sucio cartel blanco suspendido del dintel de la puerta. Los escalones de madera vieja y gastada rechinaron bajo mi peso. Alcancé a dos mujeres que entraban en el local.

Rey Mago se frotaba las manos y ensayaba una sonrisa. Había cambiado para peor en estos siete años. Estaba en el vestíbulo de la casa rodeado de perchas de las que colgaban ropas de todos los colores y clases. Parecía un espantapájaros frente a algún extraño campo de vestimentas. Si antes había sido flaco, ahora parecía tener menos carne que una bicicleta de carreras. Despreció a las dos mujeres que estaban en la tienda y adelantó su nariz larga y huesuda hacia mí

—¿Desea algo, caballero?

—Hablar contigo, Rey Mago. Vamos a otro sitio.

—¿Eh? ¿Cómo dice?

—Que quiero hablar contigo, Rey Mago.

Quiso sonreír, pero fue inútil.

—¿El caballero desea algo especial?

Aquel sujeto era de los que podían oler a un policía a distancia y yo, probablemente, conservaba algún vago aroma del Cuerpo.

—Déjate de coñas, que te conozco, Rey Mago. Así que ahora eres ropavejero, ¿eh?

Me miró con asombro, tratando de saber quién era. Sus ojos se movieron inquietos como dos escarabajos.

—Sí, sí señor, tengo este negocito... ¿Qué se le ofrece?

—¿No tienes oficina? Es igual, aquí mismo vale. ¿Dónde está tu hermano, el Zazá Gabor?

—¿Quién es usted?

—¿No te acuerdas de mí?

Las mujeres hacían como que miraban trapos.

—No..., no sé.

—Comisaría.

Se le heló la cara perruna y flaca.

—Yo no he hecho nada —balbuceó.

—¿Dónde está tu hermano?

—Señor inspector, le juro que no sé dónde vive. No me hablo con él —bajó la voz—, nos hemos enfadado... Pero..., pero venga por aquí.

Me arrastró hasta un cuartillo adyacente y me hizo señas para que le acompañara. Fui tras él. Era un cuarto pequeño, iluminado con un flexo viejo, con una mesa camilla, un aparador con trastos, un televisor y dos sillas. En una de las sillas, una niña increíblemente gorda, como de once años, sorbía natillas de un plato. No levantó su cara bovina al vernos.

—¡Vete de aquí! —ordenó el viejo.

La niña tomó el plato y salió bamboleándose, sin volver la vista atrás.

—Mi sobrina —tartamudeó—. Está pasando aquí unos días... Pero siéntese, señor inspector. ¿Quiere un corte de traje?... Tamburini auténtico.

—Déjate de trajes, tengo prisa. Conque tu sobrina, ¿eh?

—Verá...

Me acerqué a él. Olía a orines. Retrocedió un poco.

—Te conozco bien, Rey Mago, deja de disimular o te rompo las narices.

—¡Es mi sobrina, lo juro!

—Eres un bicho asqueroso.

Lo agarré del cuello y levanté el puño.

—¡No me haga nada, señor inspector!

—¿Dónde está tu hermano? Te lo pregunto por última vez.

—¡No sé dónde vive, se lo juro! Pero creo...,
creo que toca en El Danubio a las horas de comer
—se pasó la mano por la boca—. No le diga que yo
se lo he dicho, tiene muy mala leche.

Le solté y me froté las manos en el pantalón.

—Muy bien. ¿En El Danubio?

—Sí, señor inspector —torció la cara y puso
gesto de cucaracha—. ¿Quiere ahora el cortecito de
traje? Se lo regalo —dijo.

El Danubio se encuentra al final del Callejón
de Cádiz, esquina a Espoz y Mina. Es un bar amplio
en forma de ele, en uno de cuyos lados está el mostrador. Frente a la puerta que da al callejón hay una
pequeña tarima de madera donde se toca el acordeón y, en el otro lado, cinco o seis mesas con manteles a cuadros azules y rojos. Aquello es lo que llaman el comedor.

Antes iba mucho por allí porque es un lugar
fresco, tranquilo y limpio, donde se puede comer por
doscientas pesetas. Con eso de que trabajaba de noche,
llevaba por lo menos más de un año sin pisarlo.

Entré y puse el codo en el mostrador. Se acercó Antonio, un zagalón colorado y gordo, sobrino
del dueño. A esa hora el local estaba medio vacío.
Dos tíos con pinta de parados sesteaban con un vaso
de Valdepeñas en uno de los extremos del mostrador y, cerca de la tarima, una mujer con un chal de
lana gris se bebía una cerveza acompañada de una
ración de berenjenas de Almagro. Antonio limpió
el mostrador alrededor de mi codo.

—¡Toni! —saludó—. ¡Cuánto tiempo sin verte! ¿Cómo te va?

—Tirando. Ponme un Moriles.

Me lo puso. Bebí un sorbo.

—¿Cuándo viene el acordeonista? —le pregunté.

—¿El Zazá Gabor?

—Ése.

—A la hora de comer —consultó el reloj—. Dentro de tres cuartos. ¿Vas a comer? Si quieres te reservo una mesa.

—Resérvala.

—Es que se llena de gente del banco.

Se palpó los pliegues de grasa de la papada y añadió:

—Debes tres mil cuatrocientas, Toni.

—Explícame de qué.

—Bueno, me dijo el Boleros que lo pusiera en tu cuenta... Como sois amigos...

—¿El Boleros ha salido del trullo?

—Eso parece. Estuvo por aquí hará unos..., este invierno.

—Vaya.

—Estuvo comiendo la tira de días. Decía que te esperaba. Yo le he fiado porque es amigo tuyo.

—Has hecho bien.

—Si no llegas a aparecer...

—Siempre aparezco.

—¿Te pongo otra de Moriles?

—Bueno. Y tú ponte otra.

Sirvió dos copas y nos las bebimos.

—¿Viene siempre el Zazá?

—Siempre, siempre, no. Le damos la comida por tocar. Pero si no tiene hambre, no viene —suspiró—. Lo hago por lástima. Me da pena ese hombre.

El bar se fue llenado de los habituales parroquianos de los alrededores que acudían a comer o a tomar el aperitivo. Pasó el tiempo. En vista de que el del acordeón no llegaba, me senté a comer. Me dieron guiso de patatas con costillas, que estaba realmente bueno, chuletas de cerdo con ensalada y una naranja. Todo eso, más media botella de Valdepeñas, hizo que subiera la cuenta a doscientas cincuenta pesetas.

Terminé el café y me fumé una Faria en el mostrador, aguardando al dichoso Zazá Gabor, pero terminé por cansarme y le pedí la cuenta a Antonio. Le pagué los gastos del Bolero, mi comida y las consumiciones y añadí cien más de propina. Se deshizo dándome las gracias.

—¿Quieres que le diga algo al Zazá cuando venga por aquí?

—No, déjalo. Quiero darle una sorpresa. ¿Sabes dónde vive?

—Ni idea, el Zazá habla menos que un caballo de cartón. Ya te digo, viene, toca, come y se las pira. Pero si sé algo, te llamo.

—No —dije rápidamente—. Te llamo yo. Esta noche te llamaré. Mira a ver si averiguas algo por ahí.

—Se lo preguntaré a mi tío.

Volvió a darme las gracias y me encaminé a mi casa a dormir la siesta. Después iría al Club Melodías, donde sabía que el Boleros curraba cuando no estaba en la cárcel.

6

Al caer la tarde descendí en la estación del metro de La Latina y subí a la superficie junto a una manada de gente cansada y malhumorada que regresaba a sus casas. Doblé la esquina y crucé frente al Teatro, donde ponían una revista de Sara Montiel. El Club Melodías estaba al lado.

El cartel cubría la entrada formando una corona de estrellitas, la mitad de las cuales estaban apagadas. Más arriba, el rótulo chisporroteaba a intervalos. Tenía tres letras estropeadas.

El interior era aún peor y se asemejaba más al vestíbulo de un cine de barrio que a lo que se supone que es un bar de señoritas. Me acomodé en uno de los taburetes de la solitaria barra y aguardé a que el único camarero terminara de peinarse. Cuando lo hizo sopló el peine y se apoyó displicentemente a mi lado.

—¿Qué quiere? —preguntó.

—Gin-tonic.

Las mujeres de la casa estaban en uno de los rincones parloteando y las había de todas clases y edades, con predominio de las que habían hecho la mili con Prim. Conté cinco sin incluir a la encargada de los lavabos, que se distinguía por la bata blanca. Las mesas estaban diseminadas sin orden ni concierto alrededor de la sala, que era grande; alargada, oscura y con demasiados tonos rojos en la decoración. Unos cuantos tíos calculaban mentalmente el riesgo de levantarse de sus asientos y abordar a las mujeres. Cuando entré se escuchaba música ratonera desde un cascado sistema de altavoces.

El camarero trajo mi bebida y eché un trago. Se quedó allí con cara de preguntarse qué mosca me habría picado al entrar.

—¿Trabaja aquí un camarero llamado Boleros? —pregunté.

—Sí. ¿Qué quiere de él?

—Hablar, soy amigo suyo.

—Usted no ha venido antes por aquí, ¿verdad?

—No.

—¿Quiere una tía?

—¿Qué le hace suponer que busco una mujer? He preguntado por el Boleros.

Se encogió de hombros.

—Está en los reservados, ahora viene —me miró fijamente—. ¿Le ha dicho él que viniera?

—No.

—Luego se anima más. Sobre las doce.

—Qué bien.

—Antes se llamaba Club Rapsodia. ¿Lo conoció?

—No.

—Empecé de botones y ahora soy el encargado —suspiró—. Antes me gustaba más. Había una orquesta y no se podía parar dentro del mujerío. ¿No lo recuerda?

—No.

—Pues tiene usted edad para haberlo conocido. Fue muy famoso en Madrid.

Alcé el vaso y brindé por su salud. Me bajé del taburete y me dirigí a los reservados, un gran semicírculo que comunicaba con la sala mediante una cortina, también roja. Del mismo color eran los divanes semicirculares y las pequeñas cortinas que los hacían independientes. El decorador debió de ser un tipo imaginativo y con iniciativa.

El Boleros escribía algo en un cuadernito frente al único cubículo ocupado. Su chaquetilla negra no estaba del todo limpia y los pantalones sin planchar le sentaban como si hubiera dormido con ellos.

Era un hombre delgado y pequeño, y aunque tenía mi edad conservaba una cara de niño que acentuaba con su extraño peinado a lo Elvis Presley. De movimientos rápidos y precisos, estaba catalogado como uno de los mejores espadistas de Madrid, profesión de la que ya quedan pocos. El Boleros era de una época perdida, cuando robar sin hacer daño y a base de habilidad no se había convertido aún en una estupidez.

Hace mucho tiempo lo detuve por casualidad birlándole la música a un padrino en la Estación de Atocha. Me costó mucho trabajo reducirle porque saltaba como un gamo y se escurría entre la gente con una facilidad pasmosa. Cuando lo tuve agarrado me di cuenta de que no se trataba de un chiquillo.

No le cayó mucho, creo que dos años, y cuando se lo llevaban juró matarme. Tantos delincuentes han jurado matarme, que no lo tomé en cuenta, pero entonces no conocía yo al Boleros.

Salió de la cárcel y lo primero que hizo fue apostarse en el portal de mi casa con una navaja de dieciocho centímetros. Se me vino encima para cortarme el pescuezo y casi lo consigue. Desde entonces, luzco una cicatriz en el cuello que hace a la gente volverse cuando voy a la piscina. Me costó más trabajo reducirle que la vez anterior, pero decidí no acusarle de agresión a la policía y dejé que se marchara. Poco después vino a verme y nos hicimos amigos. Cuando está en la cárcel y yo lo sé, le suelo enviar comida y tabaco.

—¡Boleros!, —le llamé.

—¡Toni, macho! —exclamó.

Nos palmeamos la espalda.

—¡Qué alegría verte, hombre! Mira, se me ha olvidado ir a verte, pero ya ves, el curro éste tan cabrón no me deja tiempo para nada.

—Tienes buen aspecto. ¿Cuándo saliste del maco?

—El día veinte hará seis meses.

—¿Por qué ha sido esta vez?

—¡Hombre...! Nada —me miró divertido—. Me cogieron de marrón con un niñato..., ¡para qué te voy a contar...!, un drogata malagente, un chapucero. Ya no hay profesionales... Nos pescaron dentro de la tienda de quesos, ésa que hay ahí, en San Cristóbal. ¡Si vieras! Afiné el candado de la puerta y entramos como Pepe por su casa, cosa fina, como a mí me va, tú me conoces. Y ya dentro el tío empieza a dar voces, que si yo era un mamón, que ahí no había ná de ná. No me había dado cuenta de que estaba con el mono, total que le endiñé y con el ruido acudió doña Elena, la dueña, y Miguel, su marido... Total que me he tirado tres años y estoy con la condicional. Y no veas cómo está el maco ahora, una mierda. ¡En fin!... Bueno, ¿qué pasa contigo?

—Tienes que echarme una mano.

—¿De qué se trata?

—Busco a una tía.

—¿A quién?

—Tú conoces a todas las putas de Madrid, Boleros, así que tendrás que conocer a una a la que llaman la Colombiana. Atiende también por Emilia. ¿La conoces?

—¿Es una tía alta y tetona? —hizo un gesto con las manos—. ¿Y con las caderas grandes?

—Parece mulata.

Me enseñó sus dientes de ratón.

—Sí, es la Colombiana. La llaman también la Negra.

—Busco a otro más pero si me das la dirección de ésa, te estaré muy agradecido.

—No tienes mal gusto, ¿eh, Toni? —y añadió—: Aquí tenemos una que está también como un tren. Luego te la enseño.

—No busco tías, Boleros. Termina lo que estés haciendo, te espero en la barra.

Nos dimos más golpes en la espalda y caminé de vuelta al mostrador. El encargado atendía a un sujeto flaco y calvo vestido con un traje a rayas. Las mujeres seguían charlando en su rincón.

Al poco rato llegó el Boleros.

—Una botella de champán a la tres, Roberto —le dijo al camarero—. Empiezan bien —se dirigió a mí—: Enseguida vuelvo, Toni.

Se fue con la botella de champán y dos copas y yo sorbí otro poco del gin-tonic. Tomé el vaso y me senté en una mesa apartada. Cuando regresó le hice señas. Se sentó a mi lado.

Me dijo en voz baja:

—No puedo estar mucho tiempo. Ese Roberto es un cabrón. ¿Qué quieres saber?

—En realidad busco a unos amigos de esa Emilia o como se llame. Uno de ellos es alto, moreno, grande, como de cincuenta años. Tiene el pelo ondulado y cuando lo vi gastaba traje cruzado. Había otro, rubio, joven, con huellas de granos en la cara. Parece que es cubano. ¿Los conoces?

Palideció desde la raíz del pelo hasta la barbilla. Me miró como si le hubiera dicho que le habían nombrado académico de la lengua.

—¿Qué tienes que ver con esa gente? Oye, Toni, no me metas en líos.

—¿Qué pasa con ellos?

—Si son los que van siempre con la Colombiana, es mejor dejarlo. Búscate otra tía.

—No busco tías, ya te lo he dicho. Necesito saber dónde puedo encontrar a esos dos, lo único que sé de ellos es que iban con esa mujer y con un tipejo que toca el acordeón, llamado Zazá Gabor. Todavía no he hablado con el Zazá, pero lo tengo localizado. Ahora quiero que me digas adónde debo dirigirme para encontrar a esos dos. Y no te hagas el tonto, Boleros, tú sabes todo lo que pasa en Madrid.

—He estado tres años en el estaribel, Toni. Madrid ya no es lo que era antes. Ahora los sudacas manejan el patio.

Miró hacia el mostrador y apartó los ojos.

—Mira, Boleros, he pagado tus cuentas en El Danubio, favor por favor.

—¡Hombre, muchas gracias! Se me había olvidado.

—Desembucha.

Otra vez se le demudó el color. Se estaba quedando sin fuerzas, como un colchón con los muelles de cuerda.

—Bueno, a los dos tíos esos, dicen que son cubanos, pero no los conozco, de verdad. He oído hablar de ellos, pero nada más. Y la tía, bueno, la tía es puta pero creo que no vale gran cosa.

—Me estás cansando. Antes me diste a entender que la conocías.

Miró de nuevo a Roberto, que volvía a peinarse.

—No se lo digas a nadie —murmuró—. Creo que la Colombiana hace de vez en cuando un servicio en una sauna que hay por la Castellana. Se llama El Sirocco —lanzó un largo suspiro.

—¿El Sirocco? Está bien, algo es algo.

—Por tu madre, no se lo digas a nadie.

—No te preocupes.

—Me alegra verte, Toni, colega. Tú lo sabes, te ayudaría en cualquier cosa, has sido muy legal conmigo.

—Si puedo encontrar a esa mujer, me habrás ayudado bastante.

—Tendrás cuidado, ¿verdad?

—Sí, no te preocupes.

—Ya no es como antes. Ahora hay gente rara en Madrid. Drogotas, locos, sudacas..., ya no hacen falta buenos profesionales. Yo estoy de capa caída, Toni. La vida está cada vez más difícil.

—Cuídate entonces, socio.

—Claro —sonrió—. ¿Por qué no te dejas de cirios y te diviertes con la Paula? Mira, es aquélla.

Señaló al grupo de mujeres.

—No, muchas gracias, Boleros, y llámame si sabes algo más. Trabajo en ese baile llamado La Luna de Medianoche... Que no se te olvide.

—¿Ése nuevo?

—Sí, y me gustaría que me llamaras. ¿Lo harás?

—Sí, hombre. Pero no será nada relacionado con la *bofia*, ¿no?

—Pierde cuidado.

Se levantó y volvió a palmearme la espalda. Fui al mostrador y me dirigí al del peine.

—¿Dónde tiene el teléfono?

—En los servicios —me respondió—. ¿Qué, hablando de negocios con el Boleros?

—Puede ser —contesté.

En la puerta de los servicios había una mujer gorda con una bata grisácea y medio calva. Tenía la mirada perdida mientras comía pipas a velocidad de vértigo.

Llamé a El Danubio y me contestó la voz de Antonio. Le pregunté si había averiguado la dirección del Zazá Gabor.

—Mi tío no la sabe, Toni, pero vente a comer otro día. A lo mejor viene —me contestó.

—Iré para que me reserves una mesa —le dije a través del hilo.

Colgué y volví a sentarme con el rey del peine.

—¿Qué le debo?

—La llamada y el gin-tonic, ¿no?

—Eso es.

—Seiscientas cinco.

Me quedé mirándole.

—Un poco caro, ¿no le parece?

Se encogió de hombros.

—Ahora comprendo cómo triunfa el Club Melodías —añadí.

7

Eran las nueve y media de la noche cuando salí del Club Melodías. Un Dodge grande, color crema, se movió silencioso a mi espalda. Estaba aparcado frente al Teatro de la Latina.

Seguí despacio hacia la calle de Toledo sintiéndolo cerca. Una voz gritó:

—¡Eh, Toni!

Me volví. Era Santos el Calvo asomándose por la ventanilla.

—¡Acércate, por favor!

Me acerqué. En el asiento de atrás había una figura borrosa.

—Mis amigos quieren hablar contigo —dijo.

—Diles a tus amigos que yo no quiero hablar con ellos.

El cañón negro de una pistola asomó por la otra ventanilla. Detrás de él, una cabeza.

—Deja de decir tonterías y sube —dijo una voz ronca al tiempo que se abría la portezuela.

Subí sin que el tipo dejara de apuntarme. Se situó en el fondo, haciéndome sitio. Santos arrancó.

Era un sujeto flaco de cara gris, peinado con mucha agua. Sostenía en su derecha una antigua, pero efectiva, Luger. Me palpó con la izquierda.

—Mira —dijo—, no tengo nada contra ti, ¿lo has entendido? De modo que pórtate bien y no pasará nada. ¿De acuerdo?

Le dije que sí.

—Toni es un buen muchacho —dijo Santos.

—Mejor —contestó el otro.

—¿Qué significa esto, Santos?

—No te molestes, Toni —volvió la cabeza—. Pero de otra forma no vienes. Y no te preocupes, llegaremos enseguida.

El otro siguió observándome, la Luger entre las piernas. Y continuó haciéndolo el resto del viaje.

El coche recorrió la calle Princesa y después la Moncloa y nadie abrió la boca para nada. Poco después las luces de la autopista de La Coruña dibujaron arabescos en la tapicería del coche hasta llegar a una desviación. Entonces Santos giró y nos adentramos en un camino auxiliar. Distinguí un cartel iluminado con luces de neón que anunciaba a cien metros un motel llamado El Alce.

Un frenazo seco nos detuvo en un aparcamiento rodeado de árboles, lleno de automóviles e iluminado por farolillos. Ninguno de los coches era un utilitario.

Santos descendió y me abrió la portezuela.

—Vamos, Toni, no será mucho tiempo.

El otro sujeto levantó el arma.

—Haga caso, no sea idiota.

Descendí. Santos echó a andar y yo detrás. Subimos unos escalones de troncos hasta un amplio porche de madera. El hotel tenía tres plantas y el techo inclinado como las edificaciones alpinas. Se escuchaba música suave. Un portero uniformado reconoció a

Santos y nos abrió una puerta que comunicaba con un vestíbulo adornado como un pabellón de caza ideado por Bronston. Había trofeos de ciervos, jabalíes y venados sobre las paredes, y escopetas y armas antiguas colgadas. El mostrador de la recepción era una pobre imitación de un bar del Oeste.

Santos continuó hasta una puerta corredera de cristales y la abrió. Pasamos a un amplio comedor donde se cenaba en murmullos. Amplios ventanales daban a la oscura sierra y cada mesa mantenía su intimidad con candelabros. Silenciosos camareros, sutiles como mariposas y uniformados de chaqué, transportaban bandejas.

Atravesamos la sala.

Santos me señaló un rincón donde comía un hombre solo y caminamos hacia él.

El tipo apenas levantó el rostro de una cazoleta de angulas. Las velas dejaron ver una cara tan afeitada que parecía maquillada. Podía tener sesenta años o más, pero él se empeñaba en no demostrarlo. Usaba una chaqueta de pana verde y jersey de cuello alto del mismo color. Tomó una copa delicadamente y sorbió un poco mientras me observaba.

—Antonio Carpintero, señor Céspedes —anunció Santos.

—Siéntese, por favor —señaló una silla frente a él. Luego se dirigió a Santos, que aguardaba de pie—: Retírese, luego le llamaré.

—Sí, señor Céspedes —respondió.

—En primer lugar, disculpe la forma en que le han hecho venir —sonrió y siguió comiendo—. Pero creo que era la única forma de que nos viésemos.

Chasqueó los dedos y como por ensalmo apareció un camarero que se inclinó a su lado.

—¿Desea tomar algo? Si quiere cenar, dígalo.

—No.

—¿Una copa? —insistió.

—No.

Un gesto de su mano le dio a entender al camarero que debía marcharse.

—Me llamo Carlos Céspedes y entraré en materia rápidamente, señor Carpintero. Lo que quiero es proponerle un negocio. Un negocio que, ni que decir tiene, le será muy ventajoso.

—¿No le dijo su guardaespaldas que no me apetecía?

—No es mi guardaespaldas. Santos es el jefe de seguridad de mis empresas, un empleado. No tengo guardaespaldas —hizo una pausa, las angulas que tenía en la boca fueron trituradas por sus finos dientes—, aunque conozco a gente que tiene hasta cuatro. Parece que está de moda secuestrar y matar banqueros.

—Usted dijo que iba al grano. Hágalo, porque tengo prisa. Antes le diré que estoy aquí porque el otro empleado suyo que iba con Santos me ha encañonado con una Luger.

—¡Oh! —exclamó—. Le ofrezco mis disculpas —sus ojos me recorrieron de arriba abajo—. Me han hablado muy bien de usted, conozco su historial en la policía. Me gusta hablar claramente, quiero que trabaje para mí, le ofrezco un empleo con las máximas garantías en mi servicio de seguridad. Será como si le hubiesen tocado las quinielas —puso un gesto despectivo y continuó—. Ése es el negocio a que me referí al principio.

—¿No es suficiente con Santos?

Hizo como si no me hubiera escuchado.

—Su trabajo de matón en..., en ese club, no es para un hombre de su categoría. Yo le ofrezco algo más acorde con usted. Le garantizo que trabajar conmigo no le traerá más que ventajas.

—¿Por qué no empieza desde el principio?

Siguió comiendo. Luego se detuvo. Me miró con ojos que parecían charcos de agua sucia.

—De acuerdo —empezó—. No tengo inconveniente. Cazzo y yo estábamos a punto de culminar una operación de gran envergadura en la que Cazzo era fundamental. Sin él, nuestros clientes no pondrían una sola peseta. Bien, de pronto Cazzo se muestra remiso, da largas. Nosotros investigamos y resulta que Filemox, la financiera de Cazzo, quiere quedarse con el pastel, es decir, negociar ella sola con nuestros clientes dejando a mi banco en la estacada. Nos costó trabajo descubrir el doble juego de Cazzo, pero al fin lo hicimos... Resumiendo, a Cazzo lo matan y nosotros nos quedamos sin los documentos que prueban nuestros derechos en esta operación. Sabemos que el chófer los tiene —me observó con sus ojos fríos—. Quiero que usted encuentre a ese chófer. Le daremos ciento cincuenta mil pesetas al mes o, si lo desea, el equivalente en moneda extranjera. Como salario no está mal, ¿verdad?

Había encendido un cigarrillo y lo fumaba lentamente.

—¿Por qué está tan seguro de la culpabilidad del chófer?

Sonrió, lo hacía con mucha facilidad.

—Cazzo tenía una cita con nosotros cuando inexplicablemente fue a aquel club. Traía los documentos y alguien se los quitó. No estaban en su cuerpo ni en el coche.

—Tres personas pudieron quitarle esos documentos: el chófer, el patrón del club o yo —dije.

Negó con la cabeza.

—El chófer sabía lo que Cazzo llevaba. Trabajaba para nosotros.

—¿Qué quiere decir?

—Que era de los nuestros. Nos informaba de todos los pasos de su jefe. Gracias a él descubrimos el doble juego de Cazzo. Él robó los documentos, Carpintero, no cabe duda.

—¿Desde cuándo trabajaba el chófer para ustedes?

—Poco más de un año. Nos costó algún dinero, no mucho. Esa gente se vende por nada. Pero ¿qué importa eso?

Apartó la cazuelita de angulas. Se limpió los labios con cuidado y añadió:

—¿Ha tenido alguna vez un salario mensual de ciento cincuenta mil?

—No.

Me miró. Cuando hablaba se le estiraba la cara alrededor de los ojos.

—Venga mañana mismo a nuestras oficinas, Santos le tendrá listo el contrato.

—Espere un momento. Cazzo tenía una cita con ustedes la misma noche que lo mataron y llevaba encima documentos comprometedores. ¿Es así, poco más o menos?

—Exacto.

—¿Esos documentos valen mucho?

—¿Adónde quiere llegar?

—A lo siguiente: ¿qué haría un chofer con esos documentos? Si fuera dinero, lo entendería. Pero papeles...

—El chófer sabía lo importante que era para nosotros tener esos documentos, era un empleado nuestro. Filemox, la financiera de Cazzo, podría pagar bastante dinero para recuperarlos. Ahora, después de su muerte, siguen interesados en realizar ese negocio... Pero solos, sin nosotros, y eso no se lo permitiremos. Tenemos derechos prioritarios en el asunto, y los documentos lo prueban. ¿Se da cuenta? Por eso quiero que encuentre al chófer, que lo encuentre y nos lo traiga. Bien, ahora, si me lo permite, terminaré de cenar.

—¿Santos no lo ha podido encontrar? Es un buen profesional.

Se estaba impacientando. Se movió en la silla.

—Mire, el sueldo que voy a darle es mucho y no quiero excusas. Quiero que se ponga a buscar a ese chófer ahora mismo. Santos le dará instrucciones.

—Ser su empleado no entra dentro de mis cálculos, señor Céspedes.

—¿Qué ha dicho?

—Gracias, pero no me interesa.

—Comprendo —se retrepó en el asiento y sonrió—. Quizá sea usted un hombre negocios y yo no me haya dado cuenta. Está bien, ¿cuánto quiere? Diga una cifra y tráigame a esa mierda de chófer.

—Usted y Santos se empeñan en endilgarme no sé qué complicidad con el chófer. A ese tipo no le conozco, no le vi hacer nada en el cadáver de Cazzo y no lo he visto desde entonces. ¿Está satisfecho? Mi respuesta es no.

Estaba muy bronceado, pero noté cómo se le agarrotaba el rostro con tonalidades purpúreas. Ese tipo de hombre no está acostumbrado a que nadie le discuta una orden. Para eso son banqueros y ricos, benefactores de la humanidad.

—¿Está seguro de haberme entendido bien? —se contuvo.

—Creo que sí.

—Márchese ahora mismo, estúpido. Antes de que me arrepienta.

Me levanté y me sacudí la chaqueta. Sus ojos se habían convertido en rendijas amenazadoras.

—Y será mejor que no se interponga en mi camino. No le beneficiará. ¿Lo ha entendido, muerto de hambre? De mí no se ríe nadie.

Lo último no lo escuché bien. Di media vuelta y caminé de regreso hasta la puerta.

En el vestíbulo me encontré a Santos sentado en un sillón tapizado con imitación de piel de tigre. Estaba cruzado de piernas y miraba a dos chicas muy jóvenes y muy maquilladas que lanzaban inútiles risas al aire. Se levantó al verme.

—¿Qué tal, Toni, todo ha ido bien? —me agarró del brazo—. ¿Ves como tenía razón? Mis amigos son muy generosos.

—Tus amigos son una maravilla. Vámonos ya.

Salimos del hotel, la grava crujió bajo nuestros pies y allí, en la oscuridad, escuché de nuevo las apagadas risas femeninas y el rumor de la música del interior. Santos abrió el coche y pasamos adentro. El sujeto de la Luger no estaba.

Poco después rodábamos por la carretera de La Coruña rumbo a Madrid.

—¿No te habrás enfadado conmigo, verdad, Toni? Te tengo aprecio, ya lo sabes. ¿Qué te ha parecido el señor Céspedes?

—Un cabrón.

Emitió una risa desganada.

—Sí, lo es, y Cazzo era otro cabrón peor que Céspedes. Nunca me acostumbraré del todo a estar con esta gente.

—Cuando viniste a mi casa dijiste que Cazzo era un caballero.

Se encogió de hombros. Conducía con su corpachón echado hacia delante y las luces de la carretera le marcaban la cara de manchas blancas.

—Son caballeros, quiero decir que visten como caballeros y comen como caballeros, pero son rufianes. A su lado, toda la ralea que he visto en mi vida de policía parecen colegiales haciendo travesuras. Pero hay que estar con ellos. Siempre, de alguna manera, se termina bajo las órdenes de un Céspedes o un Cazzo. Y es mejor sacar tajada.

—Frutos y tú erais de la misma promoción, ¿verdad?

—Sí... —se quedó pensativo. Luego, continuó—: El bueno de Frutos. Nunca le ascenderán a comisario. He ahí lo que se consigue siendo honrado, Toni. Frutos se ha dejado la vida en el Cuerpo, cuarenta años de policía. ¿Y qué ha sacado? Yo te lo diré: nada..., nada de nada. Cualquier muchachito destinado a escoltas o a información gana el doble que él.

—¿Céspedes tiene mucha influencia?

—No puedes figurártelo. He ido ya dos veces en su nombre a la Dirección General de Seguridad —enseñó las encías en una triste sonrisa— y no veas cómo me recibían. ¿Te acuerdas de Celso?

—Sí.

—Ahora es un capitoste, tiene hasta secretaria privada. Bueno, si vieras a Celso dándome recuerdos para Céspedes y palmeándome la espalda...

Allí mismo tomó el teléfono y se puso a gritarle a Frutos diciéndole que había que atrapar a ese chófer, que, si no, se iba a enterar. Me habría gustado ver a Frutos... Oye, Toni, ¿le has dicho a Céspedes dónde está el chófer?

—No.

Agarrotó las manos sobre el volante.

—Pero...

—No me interesa trabajar para vosotros. Ya te lo dije en mi casa.

—¡Dios mío, qué imbécil eres!

—Puede.

—Sé todo lo que has estado haciendo en los últimos años, y no tienes donde caerte muerto. Has trabajado de guardaespaldas, de cobrador de morosos en Ejecutivas Draper..., nada, mierda sobre mierda. Y ahora estás de matón en un baile de golfos melenudos y drogotas... ¿Es que eres imbécil o qué? ¿Es que no te gusta el dinero? ¿Qué tiene de malo trabajar para alguien como Céspedes? Casi todo el mundo trabaja para alguien parecido a Céspedes y la mayoría no lo sabe. ¿Qué te importa a ti ese maldito chófer?

—Estoy cansado ya de oír eso. Cierra el pico de una vez, Santos. No sé nada de ese chófer. No vi que le cogiera nada a Cazzo y cuando salí a la calle en persecución del chico rubio tampoco vi a nadie.

Me miró durante un momento, después siguió conduciendo con la frente fruncida. Los oscuros y elegantes chalés cruzaban frente a nosotros como la cinta de una película muda.

—Yo puedo creerte —dijo finalmente—, pero Céspedes no. Escúchame, Toni, ¿quieres que demos la vuelta y le digamos al jefe que estabas nervioso? Podemos llamarle por teléfono, aún estamos a tiempo. Tú y yo juntos encontraremos al chófer aunque se esconda en el centro de la tierra.

—No, Santos.

—De acuerdo —siguió pensativo.

Ninguno de los dos abrió más la boca hasta que entramos en Madrid. Santos me condujo calle Princesa abajo y me preguntó dónde quería que me dejara. Le dije que en Gran Vía esquina a Montera y él me llevó exactamente hasta allí.

Nos despedimos. Parecía relajado y tranquilo y me dio unos golpes afectuosos en el hombro, pidiéndome que me cuidara. Abrí la puerta, salí y el coche se perdió de vista.

8

El sol resbalaba en los cristales de los edificios del Paseo de la Castellana y yo entré en el portal lujoso y marmóreo donde anunciaban la sauna. En el cartel de plástico se podía leer: *El Sirocco, Sauna, Masajes, Baños orientales, Tarjeta VISA*. Pero para acceder a ellos había que dar la vuelta al edificio. Salí a la calle y di la vuelta.

En la trasera había una sala de fiestas llamada La Cacatúa, que, a juzgar por la puerta, debía de costar como un trasplante de riñón, y un jardincillo de cemento y plantas falsas medio ahogadas. La fachada de la sauna estaba pintada de verde. Quizá fuese demasiado temprano para querer darse un baño, eran las doce de la mañana.

Me arreglé la corbata y pulsé el timbre. Al poco tiempo, unos tacones ruidosos acudieron a abrirme.

Era una mujer como de cuarenta años con una bata blanca más arriba de la rodilla y el rostro risueño de una peluquera elegante. Era menudita, pero de formas agradables.

—Buenos días, señor —dijo con voz cantarina. Realmente parecía desearlo de veras—: ¿Quiere pasar, por favor?

Se hizo a un lado y pasé dentro. El silencio era absoluto. Estábamos en una especie de recibidor adornado con plantas trepadoras y suelo de moqueta

73

verde, y la música ambiental apenas sugería que había música. Me hizo un gesto con la mano y la acompañé a otra sala.

—¿No es demasiado pronto?

—¡Oh, no, de ninguna manera!

—Me alegro.

—Pase, por favor.

Era una salita pequeña y de aspecto aséptico.

—¿Es la primera vez que viene, señor? —me preguntó.

—Sí, y no ha sido por falta de ganas, se lo aseguro. Tengo muchas ocupaciones —esbocé una tímida sonrisa—. Serán discretos, ¿verdad?

—Por supuesto, señor. Nuestros clientes valoran enormemente la discreción, sobre este particular no tendrá nada que temer. ¿Quiere tomar asiento, por favor?

Me senté frente a una especie de mostrador pulcro y blanco que acentuaba el carácter de clínica de lujo de la sala. En las paredes alegraban la vista dibujos y fotografías de lo más inocente, relacionados con harenes y serrallos.

No se oía un solo rumor. Aparte de la puerta que comunicaba las dos salas, había otras dos en los extremos de la habitación. La mujer sacó de un cajón del mostrador un álbum encuadernado en verde y lo abrió. Una especie de odalisca de muelle, con más pelo que un carro de cocos, me sonrió desnuda desde la fotografía.

—¿Conoce nuestras tarifas? —preguntó la mujer.

—No.

—Perfecto, tenemos...

—Lo que quiero es un buen masaje.

Me miró y bajó lo ojos.

—Sí —otra vez la sonrisa—. En ese caso son cuatro mil pesetas. Pero si desea...

—Con eso me basta... Es por probar —hice una pausa y encendí un cigarrillo.

La mujer rellenó una tarjeta verde. Me la tendió. Ponía: «Baño con masaje relajante».

—Ya tengo candidata —añadí—, es muy guapa, se llama Emilia. Me han hablado muy bien de ella. Tiene aspecto de mulata.

—¿Emilia?

—Así me han dicho que se llama.

—¿Quién le ha dicho que podría encontrar a... Emilia aquí, señor?

—Un amiguete —bajé la voz y me acerqué al mostrador—. ¿Qué pasa, se ha puesto enferma?

La cara de la mujer no era ahora como cuando entré. La desconfianza había hecho surgir arrugas donde antes no había.

—Emilia ya no trabaja con nosotros. Fue despedida.

—¿No? ¡Qué lástima! —moví la cabeza—. Dígame, ¿qué le pasó? ¿Le empezaron a gustar las mujeres?

—¿Quién le recomendó a Emilia, señor?

—Por favor, seamos discretos —bajé de nuevo la voz— y búsqueme a otra, pero que no sea como ésta —le señalé a la odalisca.

Pareció salir de un sueño.

—Sí, claro, por supuesto —hojeó el álbum hasta que señaló otra foto. Me la mostró—: ¿Le agrada, señor?

Llevaba puestas unas braguitas blancas diminutas y olía una flor. Era rubia.

—Me encanta —entrecerré los ojos.

—¿Quiere abonar ahora, por favor?

Puse cuatro billetes encima de la mesa. Ella los guardó en el mismo cajón, junto con el álbum. De un bolsillo de su bata sacó una llave prendida de una cartulina, también verde, con el número seis. Se puso en pie y avanzó hacia una de las puertas. Me hizo señas para que la acompañara. Me levanté y la seguí. La puerta daba a un largo pasillo que olía a humedad y perfume corrompido. Un olor dulzón, que me recordaba los pasteles borrachos que hacía mi abuela Catalina. A ambos lados del pasillo había puertas que ostentaban números en su parte superior. Nos detuvimos frente a una con el número seis y la mujer la abrió. Me dejó pasar y ella se dirigió a una bañera, de la que cerró el desagüe y accionó los grifos.

El ruido del agua se mezcló con el vapor que empañó las losetas negras de las paredes. Había un lavabo con un juego de toallas de colores y una cama diván tapizada de verde. La moqueta era también del mismo color y me vi reflejado entero en un espejo de pared.

—Póngase cómodo. Enseguida vendrá nuestra masajista.

Cerró la puerta sin ruido y giré los grifos para que el agua se detuviera. En algún lugar se descorrió un mueble y un hombre tosió. Apagué el cigarrillo en el lavabo. El sudor me caía por el cuello y el pecho. Yo tenía un amigo llamado Romualdo al que le faltaban las dos manos, víctima de una guillotina cortapapeles de la imprenta donde trabajaba. Pensé en él, figurándome la meritoria labor de las masajistas.

La puerta me sacó de mis cavilaciones. Una chica, con el pelo cortado casi al cepillo y aclarado con camomila, se introdujo dentro del cuarto. Llevaba una bata hasta medio muslo y el aspecto de ser una granuja de barrio. Cerró la puerta.

—¿Todavía estás así? —me espetó—. Anda, desnúdate.

Se miró en el espejo al pasar, torció la boca y se quitó la bata.

Era una chavala flaca y con la tripa levemente hinchada. No tenía nada que ver con la de la foto. Me acerqué a ella y le coloqué el puño derecho a la altura de su nariz. Le ocupaba casi toda la cara y lo miró con asombro.

—¿Pero qué...?

—¿Sabes lo que es esto?

—¿Eh? ¿Nó sé qué...?

—Es un puño. Si no me contestas por las buenas lo que voy a preguntarte, te rompo los morros. Conque vete pensándolo.

—¡Estás loco, tío! —exclamó.

Intentó escurrirse, pero la contuve cogiéndola del cuello. El puño continuó de la misma forma que antes.

—¿Conoces a Emilia?

—¿Emilia? ¿Emilia? —balbuceó—. ¿Qué Emilia? ¿Estás loco? ¡Déjame, yo no he hecho nada!

—Trabaja aquí y es sudamericana, muy tetona. La llaman también la Colombiana y la Negra. Ve haciendo memoria porque no tengo mucha paciencia.

—Pero..., ¡yo no sé nada!

Le apreté un poco más el cuello.

—¡Déjame, jefe! ¡Yo no he hecho nada!

—Último aviso —alcé el puño.

—¡Espere! —gruñó. Se limpió el sudor que le corría por el labio—. No me haga daño. ¿De la bofia, jefe?

—Eso a ti no te importa.

—¿Si se lo digo se enterará alguien? —entrecerró sus ojillos rapaces.

—Me enteraré yo.

—El encargado la sacó de malos modos. Se organizó una movida de aquí te espero, no sé por qué. ¿Me comprende, jefe?

—Deja de llamarme jefe. ¿Por qué la echaron?

—Fue el mamón del encargado. Pregúntele a él. Yo no sé nada. ¿Me va a detener, jefe?

La solté y encendí otro cigarrillo. La chica no hacía más que mirar la puerta.

—¿Esa Emilia no te contó nada?

—Nasti de plasti, ya se ha largado, jefe. Hacía su vida, se creía la Greta Garbo. Esa Negra niquelaba de marquesa.

—¿Venía a verla algún amiguito?

—Si tenía alguno, yo no lo sé. Aquí trabajaba tres horas por la mañana y cuatro por la tarde, como todas. Luego se las piraba a lo suyo.

—¿Manejaba manteca?

—No, jefe, no sé. No he tenido trato con ella. ¡Se lo juro!

—Ponte la bata, los resfriados son muy malos.

Se la puso. Parecía un poco más relajada, aunque la luz de miedo no había desaparecido de su afilada cara. Cada vez que movía el cigarrillo, la chica sufría un sobresalto. Me recordaba un escuálido perro callejero.

—¿Qué tal se llevaba con el patrón?

—Ni sí, ni no, normal, como todo el mundo. El patrón viene poco. Le juro que no sé nada más... Van a cerrar, jefe, nos vamos a la una y media.

—¿Tu patrón es un tipo alto, como de cincuenta años y con el pelo ondulado?

—Yo nunca lo he visto, jefe. Aquí el trato es con el Loren, que es el encargado, y la Montse. Pregúnteles a ellos.

Consulté el reloj y arrojé el cigarrillo al suelo y lo pisé. Escuché voces y ruidos de pasos.

—¿Y con el Zazá, eran amigos?

—¿Con ese viejo? —hizo una mueca y negó con la cabeza—. Ése es un muerto de hambre, viene cuando le hace falta un masaje. No eran nada.

—Pero se conocían, ¿verdad?

—Ya le digo, como todos... Jefe, ¿me da la tarjetita verde?

Rebusqué en los bolsillos y se la di.

—¿Qué ha hecho la Emilia, jefe?

—He dicho que dejes de llamarme jefe, y vete. Pero si me has tapujao, te amanillo la geró. ¿Te has enterado?

—He sido legal, jefe. ¡Por mi madre!

—Vete ya.

Abrió la puerta y se volvió.

—Venga por aquí otro día y le hago el griego, jefe. Hay que tratar bien al body.

Después salió.

Un tipo gordo como un barril, barbudo y con la tez pálida, se apoyaba sobre la mesa de la recepción con los brazos cruzados. El sudor le había formado una aureola oscura bajo los sobacos y fumaba una colilla de puro. Cuando me vio la tiró al suelo y la aplastó.

—¿Usted es el que busca a la Emilia? —me preguntó con voz ronca.

Me acerqué a el.

—Sí. ¿Pasa algo?

Torció la boca. Era un fanfarrón.

—No.

—Vamos a hablar a otro lugar.

—No tengo nada que hablar.

—Aún no he comido —le dije—. Y no quiero agitarme. Pero si quieres, me agitaré. ¿Hay algún despacho por aquí?

—¿Es usted de la policía? Enséñeme la placa, por favor.

Yo tenía las manos en los bolsillos y me había acercado lo suficiente como para controlar sus movimientos. Parecía asustado, un tipo de miedo húmedo y viscoso, que no es el miedo normal de una persona normal, sino el miedo de una rata. Se pasó el dorso de una mano peluda por la boca.

—¿Qué quiere usted? —balbuceó.

Saqué una mano del bolsillo, lo cogí de la camisa y lo atraje hacia mí. Su cara barbuda se había vuelto lívida y más fea, si cabe.

—Quiero charlar con esa Emilia.

—No..., no está.

—Tú la has echado. ¿Por qué?

—Yo cumplo órdenes.

—¿Órdenes de quién? Y no me enfades más, me estoy cansando de esta manía de no contestar a mis preguntas. ¿Quién es el jefe de esto?

—Don Rubén Lacampre, pero no está.

—¿Rubén Lacampre? ¿Quién es ése?

—El jefe, pero no está.

—Ya me lo has dicho. ¿Dónde vive?

—No lo sé. ¡Lo juro!

—No jures tanto. Mira, ahora mismo me vas a decir por qué echasteis a la Colombiana y dónde vive el jefe. Me da igual el orden de las respuestas, pero empieza a hablar o te destrozo.

—Sí, sí, pero en otro sitio, aquí no.

Escuché un rumor detrás de mí.

—¿Qué pasa aquí? —era la voz de la mujer. Me volví. A la bata blanca había añadido una pistola que empuñaba con firmeza.

Era una Astra del nueve corto de modelo antiguo, lo que no quiere decir que no funcionase como una moderna.

—¿Qué está haciendo?

Me aparté del encargado.

—Una charla entre amiguetes —contesté.

—¡Dame la pistola, Montse, no es policía! —gritó el barbudo—. ¡Voy a saltarle la tapa de los sesos a este cabrón!

La pistola no temblaba, ella tampoco.

—¿Qué está pasando aquí?

—¡Montse, dame la pistola! —gritó el sujeto.

—¡He dicho que te estés quieto! —se dirigió a mí—: ¿Qué es lo que hace aquí? ¿Es de la policía?

—No.

—Emilia fue despedida, ya se lo dije.

—¡Calla! —chilló el otro.

El cañón de la pistola giró unos centímetros, hasta que la barriga del encargado se puso en línea.

—Te callas tú, Loren. A mí no me das órdenes. Esto es un asunto del patrón, no mío.

—Si quieres estar a buenas con el patrón, mejor me das la pistola, Montse.

—Cierra la puerta —ordenó la mujer.

El sujeto obedeció. Se alejó a la otra salita y escuché el ruido de la llave sobre la cerradura.

—No quiero follones, se quedará aquí hasta que venga el patrón.

—Aparta la pistola. Me pongo nervioso con un juguete así delante.

—Ni pensarlo, y si te mueves aprieto el gatillo.

El hombre empujó la puerta y se plantó frente a Montse. Ésta le dijo:

—Llama al jefe, Loren, que venga. Yo quiero irme a comer.

—¿Por qué no me das la pistolita y tú te vas a comer?

—¿Vas a callarte? Llama al jefe.

Gruñó y se dirigió a la mesa. Descolgó el teléfono y marcó un número. Montse, con el arma en la derecha, había girado hasta colocarse de costado a él.

—¿Jefe?... Soy el Loren. ¿No está? ¡Pues le avisas, le dices que venga a El Sirocco, que es urgente! ¡Si digo que es urgente, es urgente!

Colgó, y, rápidamente, sin volverse apenas, golpeó con fuerza la mano de Montse armada con la Astra, que cayó al suelo. Me había sorprendido, era más rápido de lo que pensaba. Me arrojé sobre la pistola y conseguí darle una patada. Chocó contra una de las esquinas de la salita. El tipo de las barbas fue más veloz que nadie, o quizá tuvo suerte. Se tiró al suelo, la recobró, y me estaba apuntando cuando aún no me había movido.

—¡Quieto! —gritó. Me quedé en el sitio—. ¡No te muevas!

Hice lo que me ordenó. Se levantó del suelo sin dejar de apuntarme.

—Date la vuelta y alza las manos. Ni un movimiento en falso o hago ensaladilla rusa con tus sesos.

A juzgar por su tono, lo hubiera hecho.

—Loren —dijo Montse. Se frotaba la muñeca derecha y la expresión de su cara era de dolor—. No tenías que haber hecho esto.

—¡Te callas ahora, zorra! —me colocó el cañón de la Astra en la nuca y limpiamente me metió la mano en la chaqueta y me sacó la cartera.

El gordo sacó mi carné y lo miró.

—Antonio Carpintero... ¿Quién coño eres tú? ¿Por qué querías ver a la Emilia?

—Me habían dicho que estaba muy buena.

—¿Sí? Pues te vas a quedar aquí a esperar al jefe.

—¿Quién es Rubén Lacampre? ¿Un chavalillo rubio? Me va a gustar charlar con él.

Soltó una carcajada que acabó al momento. Cara a la pared sentí cómo se movía en mi dirección.

—Loren, yo me voy —dijo la mujer—. No quiero meterme en vuestros líos.

Cruzó la salita camino de la puerta. El sujeto la agarró del brazo.

—¡Te quedas aquí! —bramó.

—¡Suéltame! —gritó Montse—. ¡He dicho que me sueltes, estúpido!

Le di un empujón con todas mis fuerzas. La mujer gritó y tropezó con el barbas. Se oyó un estampido y Montse cayó al suelo gritando, pero yo ya estaba encima del tipo con una mano en su muñeca armada y golpeándole la nariz con la derecha.

Resistió tres puñetazos antes de soltar el arma, que produjo un ruido apagado al chocar contra la moqueta. Después le alcancé con la izquierda al hígado y a la cara. Dio media vuelta y terminé con un directo a la barbilla. Se proyectó hacia atrás, chocó contra el borde de la mesa y sus ojos giraron en blanco. Resbaló al suelo y se quedó dormido. Me volví a Montse que se apretaba la mano. Tenía el uniforme manchado de sangre y gemía entrecortadamente.

—El..., dedo.

—Déjame verlo.

La bala le había arrancado de cuajo el dedo índice de la mano derecha. La sangre brotaba como si se tratase de un grifo. Le hice un torniquete con el cinturón de la bata y la senté, apoyándola en la pared.

—No es grave, tranquilízate. Voy a llamar a una ambulancia.

Fui al teléfono y marqué el servicio de urgencias. Prometieron llegar enseguida.

—¿Tenéis zimoespuma?

—En el botiquín —señaló la oficinilla.

Lo encontré y se lo apliqué en el dedo. Dejé la caja al lado.

—Póntelo continuamente hasta que lleguen los de la ambulancia.

El de las barbas suspiró y comenzó a moverse. Me acerqué a él y le sacudí con la culata de la Astra en la cabeza. Volvió a dormirse. Cogí mi cartera.

—Márchate —balbuceó la mujer—. El patrón puede venir de un momento a otro. Vete —susurró—, vete ya, por favor. No sabes dónde te has metido.

—Quisiera volver a verte, Montse. Tienes muchas cosas que contarme.

—¡No, márchate!

Decidí que era mejor dejarlo.

9

Cuando trabajo de noche suelo dormir hasta las doce. Antes de esa hora me parece el amanecer. Miré el reloj, vi que eran las diez, y los timbrazos continuaban.

Me levanté y me puse los pantalones. Abrí la puerta. De todos los policías de Madrid tenían que ser Marques y Suárez los que viniesen a despertarme. Entraron con el mejor estilo policía: media sonrisa en la boca y sin decir nada.

—Bueno —les dije—. ¿A qué se debe tanto honor?

—Estás bien instalado, chico —dijo Marques.

Cuando coincidíamos en algún servicio, Marques siempre contaba chistes. Se creía gracioso, pero nadie opinaba lo mismo. Había engordado, pero lo reconocería entre mil. A Suárez, en cambio, se le veía mejor trajeado. La barriga le sobresalía por encima del pantalón.

—Sí —dijo Suárez—. No te falta de nada.

Marques soltó una corta risa y se acercó a mis fotografías enmarcadas.

—Creo que te vi un día boxear en el Campo del Gas. Perdiste a los puntos.

—No se puede decir que hayas triunfado en el *ring*, ¿eh?

—De acuerdo, mientras decidís qué mosca os ha picado, me iré duchando.

Tomé la ropa y me metí en el cuarto de baño. Hice unas cuantas flexiones y un poco de sombra ante el espejo, sabiendo que se impacientarían. Luego me duché y me afeité.

Cuando salí, habían colocado la colcha en el sofá-cama y se habían sentado a fumar.

—¿Ya estás listo? Frutos quiere verte —dijo Suárez—. Has tardado mucho.

—Si me hubierais avisado, estaría listo y con la casa limpia. Me encantan las reuniones de amigos.

—Me habían dicho que te iba bien —miró el cuarto—, pero no me figuraba que te fuera tan bien.

—Y te conservas en forma, ¿verdad, Toni?

—Frutos no quiere que le hagas esperar. Ha decidido ascender este año a comisario —Suárez se levantó.

—Cuando se bañe lo ascenderán —rió Marques.

—¿Qué quiere Frutos?

—No lo ha dicho. Bueno, vámonos.

—Antes tengo que tomar café. Nunca salgo sin tomarme un café.

Suárez se crispó. Su cara tomó un tinte grana.

—¡Déjate de tonterías —gritó—. ¿Crees que tenemos todo el día para ti?

—Suárez —dije despacio—, voy a preparar el café y a tomármelo. ¿Me lo vas a impedir tú?

Hizo un gesto de adelantarse. Cerró la boca con fuerza. Marques lo cogió por el brazo.

—No merece la pena.

—¿Qué te has creído, chulo de mierda? —gritó otra vez Suárez.

—Escúchame, gallito. Habéis venido a mi casa a molestarme, yo no os he llamado. Me importa poco si tenéis prisa o no. Quedaos ahí y seguid fumando.

Los oí murmurar mientras calentaba el agua y molía el café. Creí escuchar algo así como «partirle la cara» y «chulo de mierda». Me preparé la taza y bebí despacio.

Bajamos las escaleras sin dirigirnos la palabra y sin que Marques contara ningún chiste. Cruzamos la calle Esparteros y continuamos por Marqués Viudo de Pontejos hasta que desembocamos en la calle del Correo. Luego, me condujeron al despacho de Frutos y me dejaron solo. Me senté en una silla y encendí un cigarrillo.

El olor a Frutos se esparcía por el cuarto. Escuché los viejos rumores del oficio: voces roncas, pasos apresurados, toses, tableteo de máquinas de escribir y el rugido de los coches partiendo a misiones de rutina o a servicios importantes. Durante mucho tiempo creí que aquello teminaría por ser mi mundo, que me había librado del destino que atenazaba a los muchachos de mi barrio y a mí de una manera especial, porque yo lo único que sabía hacer era dar puñetazos. Por eso, cuando me propusieron entrar en la Escuela de Policía, acepté sin pensarlo. Yo, entonces, comenzaba a abrirme camino como boxeador profesional, y ser policía, con todo lo que traía consigo, me parecía lo mejor del mundo. Podría fumar cigarrillos emboquillados, llevar pistola, vestir buenos trajes y ser respetado.

Duró mucho, veinte largos años. Años buenos, regulares y malos, y una lucecita abriéndose camino en mi mente. La policía, a pesar de los discursos y de las pamplinas que se escribían sobre ella, no servía para defender a los ciudadanos, sino para vigilarlos. Éramos una especie de guardia pretoriana de unos pocos, pagados por los impuestos de todos. Hombres que sufrían años y años de cárcel por reincidir en robar comida, y hombres convertidos en animales a base de miseria y palo que no sabían hacer otra cosa que matar y robar para sobrevivir. Y los sobornos, sobornos encubiertos y sobornos claros y descarados que se efectuaban sin ningún rebozo y que se disimulaban como regalos, viajes pagados, créditos para comprar pisos y sueldos en organismos tales como las Mutualidades Laborales o los Sindicatos Verticales. Sé de comisarios con cuatro sueldos, algunos de profesor, acudir a burdeles encubiertos y después condenar a prostitutas apelando a la Ley de Peligrosidad Social. A cambio de tanta corrupción, se conseguía una policía fiel y dedicada a encarcelar a desgraciados. Y el que no aceptaba aquellas cosas era tratado como sospechoso o imbécil.

Me han dicho que ahora las cosas han cambiado. No lo sé.

Frutos abrió la puerta y me sacó de mis cavilaciones. Se sentó sin mirarme. Parecía cansado y tenso, con nuevas arrugas que cruzaban su cara aplastada. Había envejecido aún más desde la última vez que nos vimos. La esperanza de hacerse comisario debía de haber bajado algunos puntos. Carraspeó, sacó su paquete de Ideales y lió con habilidad uno de sus pitillos. Cuando lo hubo preparado, se lo clavó en la boca y lo encendió con un mechero barato.

—Ayer por la tarde recibimos una denuncia —comenzó con su voz ronca—. Al parecer, alguien intentó robar en una sauna. El encargado, la cajera y una empleada sufrieron lesiones. La cajera está ahora en el hospital, le falta el dedo índice de la mano derecha. Fue obra de un chapucero, de un imbécil. ¿Sabes algo de eso?

Aplasté la colilla en el cenicero.

—Sigue, Frutos, me encantan las novelas policíacas.

—Te contaré lo que sigue. Los tres empleados han hecho una descripción del ladrón que te cuadra como una fotografía, Antonio Carpintero. Ahora cuéntame lo que has ido a hacer a esa sauna. No sabía que estuvieras tan mal de dinero.

—Con esa capacidad deductiva que tienes, Frutos, me extraña que todavía no te hayan hecho comisario. Otra injusticia en el Cuerpo. De modo que, según tú, he ido a robar a El Sirocco.

—Han puesto una denuncia.

—Lo único que faltaba era que dejara mis tarjetas. Si alguna vez me diera por robar, lo haría de otra manera, ¿no crees, Frutos?

—No tengo paciencia, así que empieza a largar de una vez.

—Buscaba a una mujer, a una tal Emilia, prostituta, alta, tetona, pelo negro y aspecto de mulata, la llaman la Colombiana. En la sauna se mostraron asustados por eso. El encargado, llamado Loren, me amenazó con una Astra del nueve corto, de un modelo de hace treinta años. Llegó a disparar, pero se puso delante el dedo de la mujer.

—No he hecho mucho caso a esa denuncia por robo y menos a la historia que me ha contado esa

90

cajera de cómo se hirió. Conocemos ya esa sauna. Cazzo la frecuentaba y también el chófer. La diferencia es que al chófer le salían gratis los masajes.

—A mí me costó cuatro talegos. Y no sabía lo de Cazzo.

—¿No?

—No, y sé que sigues pensando que no dije la verdad de lo que pasó en El Gavilán, pero eso es asunto tuyo. Dije la verdad, y ahora, también. Fui a esa sauna buscando a Emilia.

—¿Por qué?

—Es asunto mío.

—No, no es asunto tuyo. Me lo vas a contar palabra por palabra, o te empapelo. No bromeo, no tengo sentido del humor.

—Eso se nota bastante.

Sonrió amargamente.

—Puedo dejarte sin licencia de armas en cuanto quiera.

—Sí, puedes hacerlo, es una de vuestras prerrogativas. Pero ¿qué ganarías con eso? No te ayudará a encontrar al chófer, que es lo importante para ti, y si no encuentras al chófer se va a enfadar Céspedes, y si se enfada, Celso se va a poner nervioso y al final lo vas a pagar tú. No te conviene poner nervioso a tu jefe ahora, Frutos, sobre todo cuando quieres ser comisario.

—¿Has terminado?

—Sí.

—Esa zorra, Emilia, apareció muerta ayer flotando en el Manzanares. Le habían aplastado la cara con una piedra. ¿No lees los periódicos?

Intenté no abrir la boca. Me salió a medias. Continuó:

91

—Sabemos que tuvo cierta amistad con el chófer. El tal Zacarías tiene mucho gancho con las mujeres..., pero el que está ahora en un lío eres tú y no él.

—A Emilia la vi hace unas semanas en mi club. Iba con dos sujetos y un viejo que toca el acordeón. Nos enzarzamos en una pelea y creo que reconocí a uno de ellos en El Gavilán. No es seguro, pero después de lo que me has dicho estoy casi seguro. Uno de los tipos que la acompañaban era el rubio que se escapó de El Gavilán.

—¿No te estarás marcando un farol?

—No, Frutos. Seguí la pista de la mujer hasta la sauna. Logré descubrir que el dueño se llama Rubén Lacampre.

—Lo sé —dijo con voz queda—. Rubén Lacampre, ya lo creo. ¿Cómo eran esos hombres?

—Uno era alto, peinado con muchas ondas, labios gruesos, corpulento y con acento sudamericano. El otro era el cubano, el de la cara llena de agujeros.

Se retrepó en su sillón y su mirada se perdió en ensoñaciones sin cuento. Su mano, en un gesto automático, fue a parar a su cara. Se acarició la frente, la boca y la barbilla. Pareció despertar.

—¿A qué hora fueron a tu club?

—Estuvieron allí entre las once de la noche y la una de la madrugada.

—¿Estás seguro de que se trata de la misma mujer?

—Sí, al parecer fue muy conocida en la calle Valverde. Era llamada también La Negra.

—El forense dictaminó que la muerte fue producida entre las doce y las dos de la madrugada de ayer. Llevaba más de veinticuatro horas en el colector del Puente de Praga.

—¿Qué relación había entre Cazzo, Emilia y esos dos?

—A ti no te importa eso.

—Céspedes me mandó llamar, quería que trabajara para él. Estaba ansioso por descubrir el paradero del chófer. ¿Es el amigo influyente de Cazzo que os dio la información?

Asintió con la cabeza, la ceniza se le desparramó por la mesa y la apartó de un manotazo. Apagó la colilla en el cenicero y volvió a mirarme sin verme. Sus ojos estaban viendo algo muy lejano.

—¿Sigues creyendo que tengo algo que ver con ese chófer, Frutos?

—Yo no creo nada. Márchate ya.

Me levanté.

—En el fondo no eres mal tipo, Frutos.

—Vete, que no te vea —dijo.

Cuando abría la puerta me llamó. Me volví y estaba preparándose otro cigarrillo. Me dirigió unos ojos iluminados por extrañas lucecitas.

—¿Estás seguro que el rubio de tu club es el mismo que se escapó de El Gavilán?

—Sí.

—Ten cuidado, Carpintero, ten mucho cuidado.

10

—Sigue mirándote.

—Déjala, Lidia.

—No, si por mí...

—Estará aburrida...

—¡Joder, aburrida, si te está comiendo con los ojos! Qué desvergonzadas son estas niñas. ¿Cuántos años puede tener? ¿Quince?

—No fastidies, lo menos veinte.

—Son la leche, he visto aquí cosas. Pero bueno, ¡qué barbaridad! ¿Has visto cómo va vestida?

—Es la moda, Lidia.

—Ya, la moda. Pedazo de putas que son. No me vengas a mí con eso de la moda, Toni, que no soy tonta. ¿Pero te has fijado cómo va vestida esa niña? Soy yo su madre y...

—No tienes edad para ser su madre.

—Cachondéate.

—¿Por qué no la dejas en paz y seguimos a lo nuestro?

—Le sacudiría una media mangurrina, que..., que bueno. Y a ti te encanta, claro, a los tíos os encantan estas niñas de ahora, más putas que el agua... Te la estás comiendo con los ojos tú también. ¿Has visto los tíos que tiene alrededor?

—Lógico, son jóvenes.

—¡Jóvenes! ¡Mangantes y vagos, eso es lo que son...! Toni, parece que la están molestando.

—Llevan molestándola bastante rato. Éste no es sitio para una chica sola.

—Al revés, yo creo que éste es el sitio perfecto para las chicas solas como ésa... ¡Pero fíjate cómo la molestan!

—Se están pasando.

—¿Qué vas a hacer?

—Ahuyentar a los moscones.

—¿Por qué no la invitas al despacho del jefe? Dile que es para ver las fotos de artistas, luego puedes utilizar el truco del sofá. Conmigo te dio resultado.

—Muy graciosa.

—¿No te quedan fuerzas? Pídele a Braulio que te deje un par de cubitos de hielo y te la mojas, no falla. ¿Adónde vas?

—Voy a hacerte caso, Lidia.

Dejé con cuidado el vaso con el gin-tonic encima del mostrador del guardarropa y me encaminé a la pista de baile. La atravesé y me detuve frente a la mesa donde estaba la niña. Había cuatro tíos diciendo tonterías. Ninguno parecía haber hecho la mili. Uno de ellos llevaba una barba de misionero y los otros tres pretendían pasar por punkis. Lo conseguían sin ningún problema.

—Vamos, ahuecad, muchachos —les dije.

Me miraron con mala idea, pero ninguno respondió. Probablemente aún no estaban demasiado drogados o bebidos. La chica justificaba con creces la atención que despertaba. Llevaba una blusa transparente, diseñada de forma que la transparencia resultara superflua, y vestía unos pantalones demasiado cortos y ajustados o unas bragas un poco mayores que un tanga. La chica descruzó las piernas y me miró, divertida. Me senté frente a ella.

Era joven, muy joven, menos de veinte años, y con esa clase de belleza que tienen los animalitos jóvenes educados a base de gimnasia, cuidados y zumos de naranja.

—¿Puedo sentarme? —le pregunté.

—¡Claro! —respondió—. ¡Por fin se ha decidido! Me llamo Katia, de Catalina, pero no me gusta, llámame Katia. ¿Nos llamamos mejor de tú? Soy partidaria de llamar a todo el mundo de tú. ¿De acuerdo?

—De acuerdo.

Me miró, repitiendo visajes de Ivonne de Carlo, suponiendo que hubiera oído hablar de ella.

—¿Tú eres Antonio Carpintero o Toni Romano?

—Antonio Carpintero me gusta más.

—¿Por qué?

—¿Por qué, qué?

—Lo de Toni Romano.

—Es una historia larga.

—Cuéntamela, me encantan las historias largas.

Entrecerró los ojos y se inclinó sobre la mesa. Los pechos saltaron fuera y la gente de alrededor rugió de satisfacción. Llevaba el pelo corto y claro, y con movimientos estudiados se lo arregló. No llevaba sujetador, ni le hacía falta.

—Otro día. Ahora dime qué buscas aquí. Estás revolucionando el patio. ¿Qué quieres?

—¿Que qué quiero? Pues a ti —soltó una risa cantarina—. No sabía cómo hablarte. Esa bruja del guardarropa me ha estado criticando todo el rato. ¿A que sí?

—No seas descarada y dime qué quieres de una vez. No has parado de mirarme desde que entraste a las diez y son ya las doce y media. Si se les ocurre entrar a los del coche patrulla nos ponen una multa. Está prohibida la entrada a menores de dieciocho años.

—Tengo dieciocho años.

—No me hagas que te pida el carné.

—Bueno, dieciséis y medio —soltó otra risa—. Pero, ¿a que no los aparento? Cuando me arreglo —se miró el cuerpo— aparento veinte o más.

—Mira, guapa, charlar contigo me gusta mucho, sobre todo cuando asiste a la charla tan selecta concurrencia, pero dime de una vez qué te ha traído por aquí y luego ahueca el ala.

—¿Qué?

—Que después que me cuentes a qué has venido, te marches. La casa te invita a la coca-cola.

—Es un cubata.

—Pues bueno, al cubata.

Cruzó los brazos y apoyó la cabeza en ellos. Hizo un mohín con la boca.

—Quiero hablar contigo, sé que estás buscando a Zacarías. Se lo oí decir el otro día a un amigo de mi madre en una fiesta de ésas coñazo a que nos invitan. Soy la hija de Valeriano Cazzo —sonrió.

—Creí que el luto duraba un año.

—Bueno, en realidad no fue una fiesta, nos invitaron a tomar el té, pero luego acabó en fiesta. A mí me pareció una mierda. Mi madre se empeñó en que la acompañase.

—Deja de cotorrear y dime qué quieres de mí.

Bajó la voz.

—Darte información sobre Zacarías.

—Cuál es.

Acercó la cabeza a la mía. Debía de utilizar un agua de colonia con fragancia a juventud.

—Sé dónde vive.

—¿Sí?

—¿Te extraña?

—¿Por qué me lo dices a mí?

—Leí en el periódico que estabas en aquel club cuando mataron a mi padre.

—¿Y cómo es eso de que sabes dónde vive Zacarías?

—Vive con su madre —bajó la voz de nuevo y miró a ambos lados—. Nunca se lo ha dicho a nadie, pero yo lo sé y sé, además, dónde está la casa.

—Eres una chica muy lista. ¿Qué te ha hecho el chófer?

—Nada —se encogió de hombros.

—Pero lo despedisteis.

—Cosas de mamá.

—Ya... Otra cosa: ¿a quién escuchaste decir que yo buscaba al chófer?

—Ya te lo he dicho, ¡qué pesado eres!..., a unos amigos de mamá.

—¿A quién? ¿A Céspedes?

—Me parece que sí..., creo que fue Carlos. ¿Irás a buscarlo y a entregarlo a la policía? A lo mejor te dan una recompensa —rió de nuevo—. Tienes que decir que yo te ayudé, ¿vale?

Uno de los chicos que nos miraba eructó y el coro soltó una larga carcajada. La niña era perfectamente consciente de la atención que provocaba. Añadió:

—Zacarías vive en un barrio llamado de La Luz, no sé en dónde, creo que por Carabanchel, pero no estoy segura. La casa está frente a un bar llamado Casa Felipe. ¿Irás a por él? Cógelo y dale su merecido.

—Aprecias mucho a los criados, ¿eh?

Hizo un mohín con su linda boquita.

—Ese imbécil de mierda... —dijo soñadora.

—Bueno, cariño, ya me lo has dicho. Ahora, vete antes de que bajen los del coche patrulla a tomarse unas copas.

Estiró la cabeza.

—¡Me iré cuando me dé la gana!

—Haz la prueba. No creo que a tus admiradores les guste ver cómo te saco en brazos.

Se levantó de golpe. Le temblaban las aletas de la nariz.

—¡Patán de mierda! —gritó—. ¿Quién te has creído que eres?

—Vete ya, anda.

Recogió un bolso de pajilla dorada que tenía sobre el sofá y, con la cabeza bien alta y bamboleando sus crecidas caderas, abandonó la sala. Los cuatro mirones fueron tras ella en tropel, lanzando aullidos. Blas se acercó con una bandeja en la que había dos vasos llenos de líquido verde.

—¿Qué has hecho?

—Echarla a la calle, es una menor.

—Coño, Toni, no era para tanto, parecía una chica fina.

—Eso es precisamente lo que era.

Le dejé con la bandeja y me acerqué al mostrador del guardarropa. Lidia fumaba sin tragarse el humo, dando rápidas pitadas y manchando de carmín la boquilla del cigarrillo. Tomé mi vaso, y de un trago me bebí lo que quedaba.

Lidia no era fea, tenía un cuerpo digno de verse despacio, el pelo negro y los labios carnosos. Ella sabía perfectamente que lo mejor suyo eran las ancas y solía llevar muy a menudo pantalones dos tallas menores. Pero si alguien le decía que ya había cumplido los treinta y ocho, era capaz de matar.

—¿Qué quería esa niña, Toni? —preguntó de forma distraída.

—Nada. Y tenía dieciséis años, no veinte.

Se quedó en silencio, con sus furiosas pitadas al cigarrillo. El local no estaba muy lleno pero aún tendría que venir mucha más gente. Ahora predominaban los jóvenes, pero a partir de la una y media vendrían los profesionales de la noche y a las tres, ya a última hora, los macarras de Montera con sus lumis. Cuando realmente trabajaba era de una y media a cuatro.

—Toni.

—¿Qué?

—¿Me perdonas?

—¿Por qué?

—Soy muy mal hablada. No debí decirte lo del despacho ni lo del hielo.

—No tiene importancia, no todo el mundo ha tenido *nurses* de pequeña.

—¿Qué?

—Nada, son cosas mías.

11

Bajé del taxi y caminé hasta un portón de hierro forjado que ostentaba un cartel con el nombre de La Pértiga en letras blancas. El chalé estaba situado al final de una calle bordeada de árboles y sentí la fragancia a tierra mojada y a flores que surgía de los jardines. A aquella gente el metro cúbico de aire puro le saldría por varios miles de pesetas.

Metí la mano por entre las rejas y descorrí el cerrojo. El jardín tenía un sendero de piedra bordeado de césped, macizos de flores y una piscina vacía. Los pajarillos revoloteaban entre los árboles y el sol destellaba sobre el tejado de pizarra de la casa.

La hija de Cazzo estaba sentada en una silla de tela blanca frente a la fachada principal. Se inclinaba sobre una mesa en la que distinguí un juego de café. Vestía una sencilla falda azul y una blusa a lunares del mismo color. Parecía la imagen personificada de la inocencia.

Cuando me acerqué, levantó los ojos. Jugueteaba con tres cubiletes.

—¿Qué haces aquí? ¿Qué quieres? —preguntó con un gesto de fastidio.

—Me gustaría hablar con tu madre.

—¿Para qué?

—Curiosidad.

Se encogió de hombros y señaló la casa.

—Está llena de periodistas, le están haciendo una entrevista para la televisión.

Movió los cubiletes y los alineó sobre la mesita. Me mostró uno, debajo estaba la borrega.

—¿La has visto?

—Sí —respondí.

Los movió ágilmente, después me miró.

—¿A que no sabes dónde la escondo?

—En mi barrio nacimos sabiendo jugar a los triles. La borrega está en el de la izquierda.

Lo levantó.

—¿Cómo lo has sabido?

—Ya te lo he dicho. Para que te salga mejor debes mirar a los ojos del contrario, de este modo no se fijará en los cubiletes.

Volvió a moverlos con rapidez.

—O sea, que debo mirar a los ojos, ¿no?

—Sí.

La chica siguió ensimismada en su juego y yo caminé hasta el porche delantero. La casa era de dos plantas y se extendía sobre una buena porción de terreno. Detrás había mucho más jardín y una pista de tenis. La puerta estaba abierta y se escuchaba el rumor de muchas voces.

Entré a un vestíbulo luminoso decorado con plantas que caían desde el techo. Largos listones de madera barnizada formaban el suelo. Un tipo ataviado con un pantalón vaquero y un jersey negro se comía un bocadillo apoyado en la pared. Me miró y siguió a lo suyo. Al lado había un transformador del que partían tres gruesos cables que terminaban en sendos reflectores colocados en abanico alrededor de un diván vacío, en un salón a dos niveles. Grandes ventanales hasta el suelo comunicaban el salón con el jardín. Estaba decorado en tonos severos con algunos toques modernos. Reconocí a Cazzo en un enorme cuadro que presidía una de las paredes.

Bajé los escalones y caminé entre ellos. Otro sujeto, pequeño y gordo, parecía muy atareado manipulando una Arriflex, colocada sobre unos trípodes frente al diván. A su lado, y en el suelo, un muchacho fumaba tranquilo abrazado a una mezcladora de sonido. Ninguno me saludó, ni hizo gesto alguno. Encendí un cigarrillo.

Al poco rato escuché voces y entraron al salón una mujer de pelo cenizo, delgada y de rostro ovalado y pálido, donde una hermosa boca dejaba ver dientes iguales y blancos, y un hombre bien trajeado, de bigotito recortado, que llevaba unos papeles en la mano. La acompañó hasta el diván y la hizo sentar en él.

—Estupendo. Así, señora Cazzo. Muy bien —dijo, y luego se dirigió al del bocadillo—: Ruiz, dale a los focos.

—Muy bien —contestó el otro.

Se encendieron las luces y la claridad de un gallinero artificial invadió la habitación.

—¿Listo? —preguntó a los otros dos hombres.

El del bigotito se sentó en el diván al lado de la mujer que vestía un traje gris perla y una camisa blanca con cuello de encajes. Estaba sentada con las piernas recogidas y sus largas manos apoyadas en el regazo.

—Levante un poco más la cabeza.

—¿Así? —preguntó la mujer.

—Eso es, gracias —le sonrió—. Continuaremos donde lo dejamos. ¿Se acuerda?

—Sí —contestó.

—Entonces, venga motor.

—¡Motor! —contestó el de la cámara. La mujer comenzó a hablar despacio, pronunciando muy bien y sonriendo tristemente a cada momento. El sujeto del bigotito la contemplaba con gesto serio.

—Ahora mi única preocupación es mi hija Catalina, mi hogar y continuar la obra... —aquí hubo un quiebro—, la obra de mi marido en el partido. Gracias a Dios, tengo muy buenos colaboradores que me ayudan mucho. Sin ellos no podría hacer casi nada —sonrisa dulce—. Para ellos mi agradecimiento más sincero. Me han ayudado mucho, me siguen ayudando cada día con su apoyo y aliento.

El tipo se volvió a la cámara.

—Esta mujer, si me permite que la llame así —ella asintió bajando la cabeza—, es una mujer fuerte, entera, que no quiere cruzarse de brazos y aguantar su dolor. Prefiere seguir trabajando, luchar, remontar la cuesta con tesón, quizá apretando los labios para no sollozar, pero sin ser vencida. Doña Lucía es de temple fuerte, una raza de mujer española de la que todos nos sentimos orgullosos —se volvió hacia ella—. Doña Lucía Bustamante, viuda de Cazzo, permítame una pregunta que le va a hacer daño. Los asesinos de su marido, del gran hombre que fue Valeriano Cazzo, han querido destruir no solamente una vida dedicada a los demás, sino a una familia ejemplar como la suya y, si me permite usted, también destruir España. Esta pobre España que no deja de llorar a sus muertos. Dígame, Doña Lucía, ¿qué piensa de esos cobardes terroristas que acabaron con la vida de su marido?

Larga mirada a la cámara, bajada suave de ojos y sonrisa triste.

—Ellos nunca van a destruir esta familia, ni tampoco han matado a Valeriano... —otro quiebro—. Valeriano está vivo, vivo con nosotros, su familia, sus amigos y colaboradores, sus compañeros de partido... Todavía recibimos cartas de gentes humildes, anónimas, que nos dan ánimos para continuar... A todos ellos, gracias, muchas gracias, de corazón... —larga mirada al entrevistador—. José Luis..., soy apolítica, no entiendo de política, pero..., pero lo que hicieron con Valeriano y con tantos hombres y mujeres de España, de servidores de España, es una monstruosidad sin nombre ni calificativo... —un corto sollozo ahogado—. Perdona, José Luis, no quisiera recordar. Yo los perdono como cristiana, pero...

—Lo comprendemos, lo comprendemos perfectamente. No queremos remover esa terrible herida. Vamos a charlar ahora con su encantadora hija, Catalina. Una jovencita tan bella y animosa como su madre.

El entrevistador hizo un gesto con la mano, como de saludo, y el de la cámara gritó «fuera motor». La mujer emitió un largo suspiro y se levantó.

—¿Qué tal, José Luis?

—Perfecto, Lucía. ¿Podemos avisar ahora a Katia?

—Sí. Está fuera. Id a llamarla.

—¡Ruiz, eh, Ruiz! —le gritó al de la puerta—. ¡Avisa a la niña!

—Vale —contestó el otro, y desapareció.

—¿Una cerveza? —preguntó entonces la mujer.

—No, gracias —contestó el del bigotito—. Terminaremos enseguida.

—¿Hablo más fuerte?

—No, así está bien. ¿Qué tal está saliendo? —preguntó el entrevistador al técnico de sonido.

—Sin problemas —contestó éste.

La hija de Cazzo atravesó el salón y sonrió a los presentes.

—¿Qué tengo que hacer?

—Llegas andando desde allí y te sientas al lado de tu madre. De esta forma.

El entrevistador caminó por el salón y se sentó a los pies de Lucía con dificultad. Luego se levantó.

—¿Te has fijado bien?

—Sí —contestó la niña.

—Perfecto. ¿Te has aprendido lo que tienes que decir?

—Claro.

—De acuerdo. Entonces, cuando escuches «¡motor!», comienzas a andar. ¿De acuerdo?

—Muy bien.

Volvió a sentarse en el diván al lado de la mujer, que tenía ahora una expresión distraída y aburrida. Cuando el entrevistador se hubo sentado, la mujer se arregló el pelo y carraspeó.

—Cuando quieras, José Luis —dijo.

Alargó la mano y sonrió en dirección a la chica.

—¡Motor! —exclamó.

El ruido de la Arriflex volvió a oírse y la jovencita avanzó hasta los pies de su madre y se sentó allí. Apoyó la cabeza en su regazo y miró al entrevistador. Su madre le acarició el cabello.

—¿Cómo estás, Catalina? —le preguntó el entrevistador.

—Bien —dijo ella.

—¿Dispuesta a estudiar duro este curso?

—Sí.

—Catalina estudia COU y es muy buena estudiante. ¿Qué has pensado hacer cuando termines?

—Derecho, como mi padre —sonrió y la madre también—, o Medicina. Todavía no lo sé bien.

—Hubo un tiempo en que quería ser periodista —dijo la madre.

—Pues no te lo recomiendo —sonrió el entrevistador—. Es mejor Derecho.

—Sí, creo que haré Derecho.

—Si apruebas —dijo la madre.

—Aprobaré, mamá, ya lo verás.

—Por supuesto. La jovencita Catalina consigue todo lo que se propone. Estamos seguros de que aprobará este curso y que el año que viene empezará Derecho, estoy seguro.

—Es muy voluntariosa, ha salido a Valeriano.

—Gracias, señora Cazzo, y Catalina...

—De nada —dijo Katia.

—Gracias —murmuró la madre. El entrevistador se volvió a la cámara.

—José Luis Bello en todo lo que es noticia en «Después del Café...» Esta vez ha sido el hogar de la familia Cazzo, tristes, pero animosos, fuertes en la desgracia..., pero mañana puede ser su hogar el que visitemos, siempre detrás de lo que es noticia. Estén atentos, vamos camino de su casa.

Sonrió y el cámara dijo:

—Fuera motor.

Se levantó y se arregló el cuello de la camisa. El del sonido y el cámara comenzaron a guardar las cosas. La luz se apagó.

—Bueno —dijo—. Nos vamos.

—¿Cuándo lo veremos? —preguntó Lucía.

—Mañana a las tres en «Después del Café» —sonrió de nuevo.

—Siempre vemos su programa, nos gusta mucho.

—Gracias —contestó el entrevistador. Luego se volvió a sus hombres—. ¿Listos?

—Ya está —contestó el de los focos.

Plegó los tres focos y los llevó a la puerta, después comenzó a enrollar los cables. Yo seguía sentado en uno de los sillones, sin que nadie se percatase de mi presencia. La mujer agitó la campanilla que tenía sobre una mesita de madera lacada.

—Me voy, mamá —dijo la niña.

—Sí, adiós —contestó la madre con voz distraída.

Apareció una criada uniformada, de edad madura, y atravesó el salón con pasos tímidos.

—¿Señora?

—Usted y Rafael vayan a ayudar a estos hombres, Felicia.

—Sí, señora.

—No hace falta —contestó el entrevistador.

—¡Oh, sí! Han aparcado ustedes muy lejos.

—En el chalé de al lado —contestó el que manipulaba los focos—. Nos hemos equivocado.

—Son tan iguales... —contestó la madre—. Bueno, si me lo permiten, voy a cambiarme de ropa.

Sonriendo les fue estrechando la mano uno a uno. Después abandonó el salón por una de sus puertas acristaladas. La criada y un tipo en mangas de camisa ayudaron a cargar los trastos y la comitiva se retiró de la casa. Me quedé solo. Poco después oí regresar a los criados, que volvieron charlando y se callaron cuando me vieron sentado en el sillón. Seguí aguardando.

A la media hora, la viuda de Cazzo entró en el salón de nuevo. Vestía un pantalón de pana ajustado y una capa azul de fondo negro. Se había cambiado el peinado. No era lo que se dice una mujer deslumbrante, pero, para los cuarenta largos que le calculé, estaba más que bien conservada. Se extrañó al verme sentado.

—¿Quién es usted? Creo que ya se han ido, ¿se ha olvidado de algo?

Me levanté.

—No soy periodista, señora Cazzo. Quisiera hablar con usted, me llamo Antonio Carpintero.

—¿Antonio Carpintero? ¿Quién es usted, qué quiere?

—Sólo charlar un poco.

Le tendí la esquela que me había enviado. La miró varias veces y me observó frunciendo las cejas.

—No sé quién es usted, francamente..., y ahora no tengo tiempo, tengo una cita, comprenderá que...

—Yo estaba en El Gavilán cuando mataron a su marido, señora Cazzo. ¿Se acuerda ahora?

—¡Ah, sí! —exclamó sin mucho convencimiento—. Ya me acuerdo... ¿Y qué quiere? ¿Dinero? Debí haberle enviado algo, una recompensa, un regalo. ¡Qué cabeza tengo!... Estoy tan ocupada... Pero dígame de una vez qué desea. No tengo mucho tiempo, ya se lo dije.

Estaba a mi lado, de pie, y era alta y estaba bien perfumada. Se cruzó de brazos y añadió:

—Venga, dígame qué quiere.

—Es sobre su chófer. Al parecer usted lo despidió poco después de que muriera su marido por algo que hizo en esta casa y ahora la policía lo está buscando. ¿Qué pasó con ese chófer, señora?

—¿Con Zacarías...? Bueno, no sé qué le puede importar a usted Zacarías... —su rostro adquirió una expresión displicente—. Informamos a la policía cuando vinieron aquí a preguntar. Por cierto, el policía se llamaba algo así como...

—¿Frutos?

—Sí, Frutos..., un tipo horrible que olía mal. A él le dijimos todo lo referente a Zacarías.

—¿Conoce a un tal Céspedes?

—¿A Carlos? ¿Cómo no voy a conocer a Carlos? Es un amigo de siempre... No sé qué le puede importar a usted Carlos, señor...

—Carpintero.

—Eso, Carpintero... No sé qué le pueden importar a usted todas estas cosas.

—Céspedes denunció a Zacarías, señora Cazzo. Al parecer robó algo del cadáver de su marido y lo buscan como si fuera la clave del asunto.

—Sí, estoy enterada. La policía me informa periódicamente de cómo van las investigaciones y no me extraña nada de lo que haga Zacarías, pero nada. Era un hombre horrible, ladrón y mal educado —se estaba impacientando—. Bueno, señor Carpintero, mucho gusto en conocerle —me tendió la mano, que yo estreché—. Tengo que irme. Le agradezco mucho lo que hizo y la preocupacion que se toma por nosotros.

Abandonó la casa precipitadamente. La criada de edad madura barría la puerta. Me dirigí a ella:

—¿Qué hizo Zacarías?

Se le demudó la cara.

—¿Qué? ¿Qué?

—El chófer, ¿qué hizo para que lo despidieran?

—No sé, señor, yo no sé nada.

Tenía la cara avejentada, llena de arrugas, y la carne fláccida le abultaba el uniforme. Sin embargo, no debía de tener muchos años más que la señora. Me despedí de ella y caminé por el jardín. Encima de la mesita estaban los triles y el desayuno, pero la niña se había esfumado. Cerré el portón de hierro con cuidado.

12

La carretera se cortaba de pronto como si se hubiesen cansado de hacerla. A ambos lados surgían, sin orden ni concierto, bloques baratos y parejos de viviendas que parecían enormes cajas de zapatos. Más adelante, diez o doce casuchas se desperdigaban en una explanada terrosa y polvorienta que descendía hasta el Paseo de Extremadura.

Despedí el taxi y caminé por entre polvo hasta una fuente donde una mujer, con un chiquillo renegrido al lado, llenaba un cubo de agua.

—¿Sabe dónde vive Zacarías Sánchez? —le pregunté.

Tuvo un gesto de huida, como de animal cazado. Tendió una mano agrietada y apretó al niño contra su cuerpo.

—¿El chófer?

—Sí, ése. Me han dicho que vive por aquí.

—Frente al bar —contestó con voz débil.

El bar se llamaba Casa Felipe y parecía una antigua casa de peones camineros. Lo habían pintado de rojo chillón y en la puerta había un tipo mirándome.

Enfrente había una casucha de techo bajo, rodeada de una cerca de madera.

—¿Es aquélla?

—Sí, señor.

—¿Sabe si está en casa?

Se encogió de hombros, terminó de llenar el cubo y se fue caminando con dificultad, bamboleándose por el peso. Me pareció joven, pero aparentaba muchos años de sufrimientos.

La casa señalada por la mujer era de una sola planta y construida de ladrillos de varias clases. Increíblemente baja, pegada a la tierra, estaba cubierta por planchas de zinc.

Empujé el portón y atravesé un diminuto patio lleno de porquerías en el que había una parra. En la portezuela, un cartel del Sagrado Corazón de Jesús anunciaba: «Dios bendiga cada rincón de esta casa».

Golpeé con fuerza. Unos pies calzados con chancletas se arrastraron al otro lado.

Abrió una mujer vieja y gorda que se limpiaba las manos con un trapo. Sus ojillos enrojecidos y sin pestañas me escudriñaron. Tenía la misma barbilla cuadrada que el chófer de Cazzo.

—¿Qué desea? —preguntó.

—Quisiera hablar con su hijo, señora.

La alarma cambió su expresión.

—No está.

—No soy de la policía. Sólo quiero hablar con él.

Negó con la cabeza sin dejar de observarme.

—No está.

—¿Dónde puedo encontrarlo?

—¿Quién es usted?

—Nos conocemos y quiero hablarle.

—Pues no está.

—Ya lo sé. Ahora le pregunto dónde puedo verlo. ¿Dónde trabaja?

—Es chófer de unos señores de Madrid.

—Hace tiempo que lo echaron de ese trabajo. ¿No lo sabía?

—¿Ha hecho algo mi Zacarías?

—No, señora, que yo sepa. Ya le he dicho que no soy policía. Dígame dónde puedo hablar con él.

—Está fuera, nunca dice dónde está. Hace mucho tiempo que no lo veo, señor. No se creen lo que les digo.

—¿Ha venido alguien más a preguntar por Zacarías?

No contestó. Me miraba con esa mezcla de temor y respeto como sólo tiene la gente humilde ante un funcionario del gobierno o la policía. Pero al mismo tiempo ocupaba con su cuerpo el umbral de la casa, expresando muy a las claras que jamás entraría nadie en aquel lugar sin su permiso.

—Está bien —le dije—. Pero déle un recado a Zacarías, dígale que Antonio Carpintero quiere verlo.

La puerta se cerró y escuché cómo se corrían los cerrojos. Crucé el patinillo y salí al descampado.

El tipo del bar seguía en el mismo sitio. Me encaminé hacia él.

Era cilíndrico, de cuerpo cilíndrico y cabeza cilíndrica. Las piernas y las manos parecían un accidente surgido como por casualidad. Fumaba, con los ojos saltones fijos en mí, inmóvil como una estatua. Encima de la ranura de la boca se había dejado crecer una línea negra a la que él llamaría bigote.

No se movió cuando pasé por su lado y entré en el bar.

El local estaba a media luz y era bar y tienda de comestibles al tiempo. En uno de los rincones, un anciano opaco, sentado frente a una mesa, contemplaba un vaso vacío.

Me acodé en el mostrador y el tabernero abandonó la puerta, entró en el mostrador y se encaró conmigo.

—¿Qué quiere? —preguntó.

—Café.

—Café —repitió y se me quedó mirando.

Luego giró sobre sí mismo y se puso a manipular la cafetera.

—¿Mucha tranquilidad? —pregunté.

—Sí —contestó.

Puso el café delante, eché el azúcar y lo moví.

—Hasta la noche no viene Zacarías, ¿verdad?

—Eso, cuando viene. Hace mucho que no aparece por aquí.

Lo bebí y encendí un cigarrillo. El tipo me miraba sin moverse.

—¿También pregunta usted por Zacarías?

—¿Han venido muchos?

—Últimamente, sí.

—¿Y qué?

—No lo han encontrado.

—Quiero verlo. Lo esperaré.

—Ya no vive aquí —carraspeó y escupió en el suelo a su lado—. Creo que se ha mudado, pero no se olvida de su madre, la tiene mucho aprecio y viene a verla de vez en cuando —bajó la voz—. ¿Ha hecho algo?

Me encogí de hombros.

—Soy amigo de un amigo de él. Me habían dicho que es un buen conductor.

—No trabaja de chófer. Lo ha dejado.

—Eso me han dicho.

—Es un tío raro, nunca habla. Lo conozco desde que vino con su madre de Jaén o Córdoba, ya no me acuerdo. Entonces era un niño.

—Pues no me habían dicho que fuera raro.

—Sí que lo es —enfatizó—. Raro como nadie. Pero ahora le van bien las cosas. Le ha comprado un piso a la madre, se van a mudar. Esto es una porquería —volvió a escupir.

—Eso ya me lo había dicho.

—¿Ah, sí?

—Sí. Lo que me gustaría saber ahora es dónde vive.

—Eso no lo sabe nadie.

—Usted lo conoce bien, ¿verdad?

—Algo.

—Debe tener un buen trabajo, ¿no?

—Tiene pasta..., eso se dicen, porque él, chitón.

—¿Y dónde puedo verle? —repetí.

—Ni idea.

Tiró la colilla al suelo y la aplastó con el pie.

—Pero usted se puede enterar.

—A lo mejor.

Saqué un billete de quinientas pesetas y lo coloqué bajo el platillo de café. Miró a ambos lados y se lo guardó. Acercó su cilíndrica cara a la mía. La tenía grasosa y olía a corrompido.

—Dicen que está montado en manteca.

—¿Quién lo dice?

—Por ahí lo dicen.

—¿Dónde puedo verlo? —insistí otra vez.

—No sé —me miró suspicaz—. En realidad sigue viviendo aquí, pero viene poco.

—Eso no vale cien duros.

Suspiró. Nuevamente bajó la voz.

116

—Pero puedo averiguar más cosas.

—¿Sí?

—Sí —carraspeó.

—¿Cuándo?

—Venga mañana a la hora de comer. Hay menos gente. Dé la vuelta por atrás, dejaré la puerta abierta —titubeó—. Nos veremos dentro.

—Muy bien.

—Le costará mil más.

—¿Ah, sí?

—No estoy seguro de que pueda enterarme de dónde vive ahora. Va a resultar difícil —movió la cara para sonreír—. Quiero el billete por adelantado.

Saqué un talego y lo deslicé entre sus manos.

—Será mejor que cuando vuelva mañana tengas algo que valga esta pasta. Si no, vas a adelgazar muy deprisa.

—Pierda cuidado, lo voy a averiguar.

Ahora le sonreí yo.

—Mejor para ti.

—Al café le invito —dijo él.

Di la vuelta y salí. El anciano del rincón seguía contemplando la nada parapetado tras su vaso.

Encontré otro taxi y me dirigí al centro. Se me hizo tarde para ir a comer a El Danubio. Cuando llegué eran ya las cinco de la tarde pasadas y estaba cerrado. Me fui a El Abuelo y tomé tres raciones de gambas sin saber a ciencia cierta qué era lo que celebraba.

Horas más tarde descendí los escalones de La Luna de Medianoche, saludé con un gesto a Lidia y bajé a los servicios. Su madre cabeceaba en la silla. Se sobresaltó cuando me vio entrar.

—¡Ah! ¡Ah, eres tú! ¿Qué tal estás?

—Bien —respondí.

Saqué las llaves del cuarto de camareros. Lo abrí y pasé adentro. Luego, con otra llave, hice lo mismo con mi taquilla. Aparté un par de camisas limpias y desenrosqué la tapa de una caja de lata que contenía munición del 38. Unas cincuenta balas. Cogí seis y cargué el Gabilondo. Después lo enfundé de nuevo y lo dejé allí.

La vieja esta vez no despertó.

Arriba, Lidia tenía ojos preocupados.

—El jefe quiere verte, Toni.

—¿Qué le pasa?

—No sé, pero parece que está cabreado. Fue por lo de aquella gresca. Ha dicho que cuando vengas subas a verlo.

—¿Por la gresca?

—Eso me ha dicho Blas —se adelantó en el mostrador—. ¿Has hecho algo después?

—Ahora veremos qué quiere.

—Ten cuidado, Toni. ¿Pasa algo? Te veo preocupado.

—No me pasa nada. ¿Todo bien por aquí?

—Como siempre.

La sala estaba llena de tíos y tías agitando vasos y hablando por los codos. Nunca me acostumbré a ellos.

Di la vuelta, abrí la puerta de la oficina y subí las escaleras. El despacho del jefe estaba en el primer piso. Había estado varias veces en él. Una fue cuando me contrataron y otra, con Lidia, la noche en que nos conocimos. Otras veces subía allí simplemente a dormir.

Llamé a la puerta y Julito me ordenó pasar.

Lo malo de Julito era que se creía un duro, y a lo mejor lo era con su mujer y la criada. Aparentaba alrededor de treinta y cinco años y era delgado, fuerte, de talla mediana y siempre moreno lámpara. Le gustaba vestir de *sport*.

Estaba sentado tras la mesa del despacho. Me hizo un gesto con la mano.

—Siéntate.

—Prefiero quedarme de pie, Julito —no le gustaba que le llamaran Julito—. Tú dirás. ¿Qué quieres?

Me miró fijo. A eso él lo llamaba una mirada dura.

—Dos cosas: la primera, que no te pago para que llegues a estas horas. Si vas a llegar tarde, avisas por teléfono, ¿entiendes? Y la otra, el follón que organizaste aquí el otro día. ¿Te parece que ésas son maneras de actuar? Tú estás aquí para impedir que la gente se pelee, no para provocar peleas. Si no llega a ser porque conozco a Morales, de la Comisaría, no sé qué hubiera pasado. Me cierran el local. ¿Te has enterado? —hizo una pausa para seguir mirándome fijo, mientras apretaba la mandíbula—. Creo que voy a pensar si necesito a un guardián en mi local. No traes más que problemas y creo que no te ganas el sueldo que te doy.

—¿Algo más, Julito?

—Termina el mes, después te vas.

—No voy a terminar el mes, me marcho ahora mismo. Prepárame el cheque.

—Muy bien, vete —bostezó— y llámame mañana. Veré si te puedo firmar el cheque.

—Quiero el cheque ahora, Julito.

—No, hombre, no. Mañana, ahora no puedo, tengo que hacer. ¿Qué te has creído?

—Vamos a ver, Julito, parece que no me has entendido. He dicho que quiero el cheque ahora mismo, porque si no me lo das vas a tener que hacerte otro carné de identidad, ¿sabes? Después de que te cambie la cara no te va a reconocer ni tu familia.

Me acerqué a la mesa y se echó hacia atrás en el sillón, preguntándose, quizá, si yo sería capaz de cambiarle su preciosa cara. Debió decidir que era muy capaz porque, al contestarme, le temblaba la voz.

—Tengo que calcular lo que te debo, eso no se puede hacer así como así —su respiración se agitó.

—¿Quién te ha dicho que me despidieras?

—Yo no acepto que nadie me diga cómo debo llevar mi negocio. En realidad no creo que haga falta un vigilante armado. Blas puede hacer tu trabajo. Lo único que haces es pasarte el día charlando con la del guardarropa y encima organizas follones con..., con aquellos clientes. Te diré lo que voy a hacer: para que veas que no te guardo rencor, te voy a recomendar a unos amigos que necesitan un portero.

Pocas veces se me sube la sangre a la cabeza. Entonces se me subió. Di todavía un paso más. Si Julito hubiera hecho algún gesto, uno solo, le hubiese clavado los puños en la cara. Le tenía ganas. Julito no era más que un fanfarrón de mierda, uno de esos que se han llegado a creer que son hombres porque se afeitan todas las mañanas y han conseguido un poco de poder.

Abrió el cajón y sacó la chequera. Le temblaban las manos. Yo me puse a observar el sofá rojo, grande como una cama, y las fotos de artistas dedicadas.

—Bueno, mira, serán aproximadamente..., unas..., pongamos noventa mil..., lo calculo después —sonrió—. Si quieres, vuelve mañana y...

—Está bien, con noventa me conformo.

Firmó y me entregó el cheque. Lo guardé en el bolsillo de la chaqueta y retrocedí hasta la puerta.

—No vuelvas más por aquí —dijo.

Me volví rápido.

—¿Decías algo, Julito?

—No..., no. Adiós.

Cerré la puerta. Abajo, en la sala, me despedí de los muchachos. Parecieron sentirlo y quedamos en que volveríamos a vernos otro día para tomarnos unas copas. Me acerqué a Lidia.

—¿Entonces, te vas? ¿Te ha despedido ese cabrón?

—Algo parecido.

—Qué mala suerte, Toni. ¿Qué vas a hacer ahora?

—Trasnocharé menos.

—Mañana es miércoles, nuestro día libre. Qué te parece si...

—De acuerdo, podemos cenar y celebrarlo.

—¡Muy bien!

—Entonces, a las nueve y media en el Carmencita.

—Sí, allí a las nueve y media.

Recogí mis cosas y me marché a casa.

Otra vez estaba sin trabajo.

13

El timbre de la puerta me hizo saltar de la cama. Una claridad lechosa y apagada penetraba a través de las persianas del balcón. Eran las doce y media de la mañana y avancé descalzo hasta la puerta.

—¿Quién? —pregunté.

—¿Quieres abrirme? —inquirió una voz de mujer.

—¡Un momento! —gruñí.

Retrocedí hasta la cama y la convertí en sofá. Luego me coloqué la bata del *ring* sobre los hombros. No era muy nueva y la seda azul oscuro se encontraba deshilachada y desteñida. Me atusé el pelo y abrí.

La hija de Cazzo sonreía, divertida. Vestía un abrigo azul claro de entretiempo, muy corto, y se había recogido el pelo detrás en un moño que la hacía varios años mayor.

—¿Tienes alguna mujer escondida en el armario?

Sin aguardar a que la invitara a pasar, entró y ella misma cerró la puerta.

—¿Aquí es donde vives?

Se había plantado en medio de la habitación, las piernas ligeramente abiertas y los brazos en jarras. Sus ojos destellaban y seguía teniendo aspecto de manzana madura, tal como la había visto en el jardín de su casa. Giró rápidamente sobre su cuerpo y arrojó el bolso en el sofá. Con los mismos movimientos rápidos se despojó del abrigo, que lanzó junto al bolso. Llevaba un vestido blanco de punto, más corto aún que el abrigo, abierto por delante y atado con una especie de cinta de colores. No llevaba medias, ni tampoco sujetador. Sus pequeños pezones, erectos y de un tono rojizo, se distinguían a través de la urdimbre del vestido.

—Me figuré que vivirías solo.

—¿Qué es lo que quieres?

Hizo un mohín con la boca y se le dibujó un hoyuelo en la barbilla.

—¿Por qué no te vistes primero? Luego podemos tomar café..., si es que me invitas.

Fui al armario, saqué la ropa y los zapatos y entré en el cuarto de baño. Ella ya se había sentado en el sofá y encendido un cigarrillo.

Me di una rápida ducha, me afeité y me coloqué el pantalón, la camisa celeste a cuadritos y la corbata negra de lanilla. Cuando salí ella estaba fisgando en los retratos enmarcados en la pared.

—¿Éste eres tú? —señaló con el dedo a Rocky Marciano en una pose de 1950.

—No, soy el de al lado.

Miró la otra foto.

—De joven podías hasta pasar por guapo. He preparado café.

Caminé hasta la cocina y saqué la cafetera del fuego. Puse dos tazas limpias en una bandeja, dos servilletas de papel, el azucarero y las cucharillas, y la llevé a la sala. La coloqué sobre la mesa.

—Aquí hace falta una buena barrida, campeón.

—Las nenas mal educadas no me hacen gracia.

—¿Serías capaz de pegarme? —se acercó ondulando el cuerpo. Cuando estuvo a mi lado, me palpó el brazo—. Sin chaqueta pareces verdaderamente fuerte.

Me serví una taza y dejé que ella hiciera lo mismo. Comencé a dar pequeños sorbos. Estábamos de pie uno al lado del otro. Un tenue perfume a flores emanaba de su cuerpo. Tal como me dijo en La Luna, podía aparentar veinte años o más.

—¿Qué te parece el café? No me ha salido mal, ¿verdad?

Terminé la taza, encendí un cigarrillo y la llené de nuevo.

—Ahora dime de una vez qué quieres.

—Anoche estuve aquí. Te esperé hasta las once. Es la hora que considero prudencial para una señorita de buenas costumbres.

—¿Sí? ¿Y qué más hacen las señoritas de buenas costumbres? ¿Jugar a los triles?

—Ya he aprendido a mirar a los ojos y a escamotear los cubiletes. Te tengo que agradecer las enseñanzas —se quedó quieta y enronqueció la voz—. ¿Qué fuiste a hacer a mi casa?

Dejó la taza sobre su platillo y se limpió los labios con la suavidad de gestos que se aprende en los colegios caros. Lentamente volvió a sonreír.

—No me has contestado, Toni —añadió—. ¿Qué has ido a hacer con mi madre?

—A ti no te importa, mocosa —la miré a los ojos—. ¿Qué has venido a hacer tú aquí?

Apretó los dientes, pero volvió a sonreír.

—No soy ninguna mocosa. Voy a cumplir diecisiete años.

—Y vas a estudiar Derecho, ya lo oí.

Se encogió de hombros.

—El Derecho es un rollo, pero se empeña mi madre. Cuéntame qué te ha dicho ella, Toni.

—Nada en absoluto.

—¿No te ha contado nada de Zacarías?

—Nada.

—No te creo, a mi madre le gusta mucho cotorrear. ¿Por qué mientes? ¿No te he ayudado yo diciéndote dónde podrías encontrar al chófer?

—No te miento, encanto, pero me gustaría mucho que me dijeras por qué le tenéis ese cariño loco al chófer.

Movió otra vez los labios para sonreír.

—Mi madre es muy celosa.

—No me gustan los acertijos, así que si no quieres decirme nada, coge el abrigo y píratelas de aquí.

—Mi madre le pegó en la cara a Zacarías y le intentó arañar. Si la hubieras visto... En el fondo es una verdulera —puso una mueca de asco en su boquita y se alejó hasta el balcón a pasos cortos. Al trasluz, su carne se silueteó a través de la tela. Habló desde allí, sin volverse—. Tiene una serie de ideas estúpidas sobre una serie de cosas que no comprende, igual que mi padre —se volvió, los ojos le centelleaban—. Me tenían como una esclava pero están listos, me voy a Suiza, a estudiar. ¿Te gusta Suiza?

—Me gustan los relojes de cuco y el queso de bola.

—No creo que me guste Suiza —murmuró avanzando hacia mí—, pero allí me lo voy a pasar bomba. Me marcho esta noche... Adiós, verdulera de mierda, adiós, *bye-bye*.

Me cogió del brazo.

—Los hombres sois todos muy miedosos —soltó una carcajada—. Mi padre era igual, ¡pobrecillo!, se creía todo lo que le decía mi madre. No sabes lo contenta que estoy de marcharme, me voy muy feliz.

—No te atraques de queso y llévate un abrigo. En Suiza las noches son frías. Ahora vete, tengo que hacer y aguardo a otra persona.

—¿Una mujer?

—Sí.

—¿La bruja esa del guardarropa? Bueno, bueno, ¡si tiene la edad de mi madre! ¡Ay, qué gracia me hace!

—Fuera, gatita, ya has hablado suficiente.

—¿No quieres que nos despidamos?

—Anda, coge tus cosas.

Una lengua fina y roja humedeció sus labios.

—¿Seguro que mi madre no te ha contado nada de mí?

Entonces sonó el timbre de la puerta. Sonó dos veces. La chica se sobresaltó, se puso pálida y recorrió el cuarto con ojos asustados, como si pretendiera esconderse.

—¿Quién es, Toni?

—Seguro que no es ni tu padre ni tu madre. Quédate tranquila.

Abrí la puerta. Al otro lado, Lidia, con una bolsa de la compra, intentaba sonreír. Su mirada se posó en la hija de Cazzo y sus facciones se endurecieron.

—¡Hola! —la chica agitó la mano—. ¿Te acuerdas de mí?

—¿Molesto? —preguntó Lidia—. ¿Ya has terminado, o es que aún no has empezado?

La chica recogió sus cosas mientras canturreaba por lo bajo. Pasó al lado de Lidia y le sonrió. Por un momento pensé que Lidia le iba a sacudir un tortazo, pero debió de contenerse.

Soltó otra corta risa y escuchamos cómo sus zapatos taconeaban escaleras abajo.

—Toni, yo...

—Pasa.

—Bueno...

—¡Pasa, maldita sea!

Pasó y cerró la puerta. Se quedó en el centro de la habitación apretando la bolsa en su pecho.

—Acaba de llegar, Lidia, no pongas esa cara, que no es para tanto.

—Yo no he preguntado nada —bajó la voz—. ¡Vaya con la niña, va medio en pelotas! Me marcho.

—Espera.

Abrí el balcón y me asomé a la calle. La hija de Cazzo caminaba rápidamente hacia la Puerta del Sol sin que nadie la siguiera. Cuando la perdí de vista volví a la habitación. Lidia me miraba fijamente.

—Vas a tener que recauchutártela, macho. Llevas una marcha que...

—¡Deja de decir tonterías!

—Es guapa..., y joven. Para desperdiciar eso...

—Hoy no estás inspirada. Tengo que salir. ¿Te llevo a algún sitio?

—A la mierda me vas a llevar.

—Escúchame, tengo que hacer, Lidia. Y deja de decir tonterías.

—¡Menudo eres tú! ¿Has pasado la noche con ésa?

—Eso no te importa.

—Bueno, está bien. Venía a invitarte a comer con nosotras. Madre ya está haciendo la paella.

—Me encanta la paella, pero no puedo. Ya te he dicho que tengo mucho que hacer. Además, hemos quedado en cenar esta noche.

—Te gustan las señoritingas, ¿eh?

—¿Vas a dejarlo ya? La chica ha llegado hace una hora escasa. A las nueve y media nos veremos en el Carmencita. Tengo trabajo.

—¡Si te quedan fuerzas...!

Salimos. Ella se despidió y yo cambié el cheque de Julito por dinero contante que ingresé en mi cuenta en la Caja de Ahorros.

Allí mismo tomé un taxi.

Alrededor del Bar Felipe había mucha gente. Niños, mujeres y algunos hombres con las manos en los bolsillos. Dos coches Zeta de la policía estaban aparcados entre el polvo.

Me acerqué al gentío. Una mujer bajita con una bata de guata azul claro gritaba en la puerta del bar. Era pequeña y flaca pero se debatía con fuerza entre otras dos mujeres que la consolaban también a gritos. Un policía nacional fumaba aburrido apoyado en la pared.

—¿Qué ha pasado? —le pregunté a una vieja despeinada.

Se volvió y me observó de arriba abajo. Comía pan y atún en aceite y el aceite le resbalaba por la barbilla hasta el cuello. No contestó. En aquel barrio un tipo con corbata y chaqueta, como yo, no podía ser nada bueno. Podía ser policía o algo peor.

Un anciano con una pelliza de cuero y boina, que estaba al lado, contestó por ella:

—Es la Rosa —señaló a la de los gritos—. Su marido se ha ahorcado.

—Este año es el segundo —habló entonces la vieja del aceite—. ¡Dios nos coja confesados!

La mujer de la puerta se arrojó al suelo pataleando. Tenía unas piernas flacas y cubiertas de varices. Se restregó el cuerpo con tierra, aullando.

—Sí —dijo el de la pelliza—. Quién se lo iba a esperar del Felipe, con lo cachondo que era.

—¿Qué dice?

—El Felipe —sus ojos vivaces se movieron—. El Felipe se ha ahorcado.

—¿Cuándo?

—Esta mañana, mientras ella estaba en el mercado —movió la cabeza—. Lo vio cuando subió a la casa.

Hizo un gesto con las manos alrededor de la garganta y añadió:

—Con la cadena del pozo. Debió darle un arrebato.

La mujer del tabernero seguía gritanto sin descanso llamando a su marido. Parecía poder aguantar bastante tiempo de esa forma. Se me acercó un niño de no más de diez años y sacó una lengua de casi un palmo.

—La tenía así y estaba negro —dijo—. Lo ha dicho doña Engracia, que lo ha visto.

El viejo escupió en el suelo.

—Ahora lo sacarán —dijo.

—Tiene que venir el del Juzgado —habló otra vez la vieja del aceite.

Di la vuelta y me encaminé a la casa de Zacarías. Las puertas y las ventanas estaban cerradas y no había ropa en el tendedero. El niño me siguió.

—La madre se ha marchado. Yo la he visto con una maleta.

—¿Cuándo?

—Esta mañana. Se fue andando hasta el Paseo de Extremadura.

—¿Iba sola?

—Sí.

—¿No has visto por aquí a su hijo, a Zacarías?

—No, ya no vive aquí, se ha mudado.

—¿Cómo te llamas?

—Enrique —contestó el muchacho.

—Muy bien, Enrique, toma.

Le largué una libra que cogió en un santiamén. Con la muerte de Felipe había perdido mil quinientas pesetas y ya me daba igual perder cien más.

—Gracias.

—Ahora vete, muchacho.

Pero no se movió del sitio, mirándome con ojos fijos y el billete apretado. Un coche verde claro avanzó dando tumbos fuera del camino terroso y se detuvo a unos diez metros de mí. Reconocí la cara chistosa de Marques y el rostro levemente despectivo de Suárez. Se apearon y cerraron las puertas con fuerza.

Suárez fue el primero en hablar.

—¿Qué haces aquí, Toni?

—¡Vete, chico, vamos! —le empujé. El niño reculó unos pasos y se alejó, aún con el billete en la mano.

Marques se rascó la cabeza.

—Déjame que lo piense. Estás aquí investigando por tu cuenta, ¿no es así?

—Te tomas demasiado interés por el chófer, ¿no es verdad, Toni? —preguntó Suárez, que se había acercado. Marques permaneció un poco más atrás.

—No te acerques tanto, ha sido boxeador profesional y es muy bueno con los puños. A mí me daría miedo.

—¡Qué va! —negó con la cabeza—. Toni es buen chico y nos va a ayudar. Se va a venir con nosotros a dar un paseíto en coche y a charlar de ese Zacarías. Una ayuda siempre viene bien.

Marques se abrió la chaqueta y mostró la culata de su arma de reglamento.

—Ve andando despacio hasta el coche, Toni, y sin hacer tonterías —apretó los labios—. Te tengo muchas ganas.

Suárez me cogió del brazo. Caminamos hasta el coche, un Mil Quinientos matrícula de Cáceres. Me empujaron al asiento delantero y ellos se colocaron cada uno a un lado. El frío cañón de una Astra del nueve corto se apoyó en mi cuello, la empuñaba Suárez y su aliento tropezó en mi cara.

—Dame el gustazo de moverte, chulo de mierda —susurró—. ¡Por favor, haz algo, muévete y te mato!

El puño de Marques me golpeó la carótida. Se me nubló la vista y lancé un gemido.

—¿Dónde está Zacarías? —me habló al oído.

—Estáis locos —articulé—. No tengo nada que ver con Zacarías. Estáis cometiendo un error.

—Claro que sí. Estamos cometiendo un error. Tú también lo has cometido al venir aquí. Por última vez, ¿dónde está Zacarías?

No aguardó a que respondiera, de todas formas no tenía nada que responder. Me golpeó de nuevo. Mi cabeza salió despedida hacia delante y tropezó con el cristal delantero.

—Mira, Toni, no te queremos hacer daño. Tú nos dices dónde está Zacarías y te marchas... Míralo como un favor entre viejos compañeros.

—¿Para quién trabajáis? ¿Para Frutos o para Céspedes? ¿Cuánto os paga?

—Sigue, sigue hablando... —susurró Suárez.

Me apretó aún más la pistola en la garganta. Apenas si podía respirar.

Alcé los ojos. Tras la boca temblorosa por la ira de Marques vi una figura desgarbada que avanzaba entre el polvo en dirección al coche. Con él iban dos policías nacionales. Era Frutos. Nunca me alegré tanto de ver a alguien. Suárez lo vio también y guardó la pistola.

—Marques —avisó Suárez—. ¿Lo has visto?

Marques se volvió rápido. Abrió la puerta y se dirigió a Frutos.

—¡Jefe! —le llamó—. Hemos encontrado a Toni fisgando por aquí.

Salí tras él y Suárez me siguió. Frutos nos miró a los tres sin decir palabra. Llevaba el mismo traje de siempre y nuevas arrugas se habían añadido a las que ya conocía surcando su cara. Su voz fue increíblemente suave.

—Ven, Toni —avanzó y me tomó del brazo.

Caminamos en dirección al gentío que seguía agolpándose frente a Casa Felipe. Distinguí al niño, serio, las manos en los bolsillos, rondando la ambulancia.

—¿Qué ha pasado? —preguntó al fin.

—Tus muchachos tienen muchas ganas de encontrar a Zacarías —le contesté—. Creo que más ganas que tú, Frutos, y si lo encuentran, no te lo van a entregar, lo van a matar. Eso creo que se llama resistirse a la autoridad o no atender al alto, ya no me acuerdo.

Debería haberse enfadado, pero no lo hizo. Siguió caminado sin soltarse de mi brazo.

—Sí —dijo—, lo sé —se soltó y me miró—. Y a ese Felipe, ¿quién lo ha matado?

—No lo sé, parece otro suicidio.

—Llevan una semana vigilando la casa —añadió.

—Estuve aquí ayer y hablé con ese tabernero. Lo último que haría sería suicidarse, hoy teníamos una cita. Iba a decirme dónde se escondía el dichoso Zacarías.

—¿Ayer estuviste aquí?

—Sí.

Se quedó pensativo.

—No me han dicho nada esos dos.

—Tú no eres su jefe, Frutos. Por eso no te han dicho nada.

Se me quedó mirando, fue una mirada triste. Luego se despidió de mí con un monosílabo y yo me marché en sentido contrario al coche de los dos policías.

Más tarde caí en la cuenta de que no había dicho nada ante el hecho de que yo también buscase a Zacarías.

14

En Casa Justo comí dos huevos duros y un tomate abierto con sal, casi sin darme cuenta de lo que hacía. De la misma forma apuré el café y la Faria. Me había sentado en uno de los rincones, y allí permanecí hasta que el último parroquiano se marchó. Justo y su hija Mercedes salieron del mostrador y comenzaron a limpiar el establecimiento. En Casa Justo no te meten prisa. Pedí otro café. Era de pucherillo y muy bueno y me reconfortó lo suficiente como para pedir una copita de aguardiente de hierbas. Cuando terminé todo, fui adonde estaba el teléfono y marqué el número del Club Melodías.

Pregunté por el·Boleros y al poco rato escuché su voz a través del auricular.

—Toni... —susurró—, te has enterado de...

—Sí —corté—. Me he enterado, Boleros, y quiero que me hagas otro favor.

—Está el patio revuelto... —volvió a susurrar—. Tengo que hablar contigo... El...

—Mañana por la tarde iré a verte —volví a cortarle—. El favor que quiero es la dirección de la cajera de la sauna que tú sabes, se llama Montse.

—¡Pero, Toni, estás loco! —elevó la voz.

—Mañana por la tarde —le indiqué y colgué.

Justo me estaba mirando con la escoba en la mano. Era un viejo flaco, veterano de la guerra que tenía un ojo de cristal y parecía que se afeitaba con guadaña.

—Toni —silabeó—, hay una partida de whisky y puros frescos.

—Cuatro botellas y Montecristos del cuatro. ¿Puede ser?

—Sí —contestó—. Ya lo creo.

Me las sirvió, pagué y marché despacio a mi casa. Todo me costó a mitad de precio. No era de contrabando, sino producto de algún robo. Justo era perista, pero honrado. Si decía que el whisky era bueno, es que era bueno.

Subí los escalones de mi casa, metí el llavín en la cerradura, abrí la puerta y me tropecé con un tío sentado en mi sofá, apuntándome con una Webley del treinta y dos, del tiempo de la primera guerra mundial.

Era un sujeto grande, muy ancho de hombros y con la cara cuadrada y azulada por la barba. Vestía una camisa blanca abrochada hasta el cuello y pantalones oscuros de paño grueso. La pistola no temblaba, y el tío parecía serio.

Reconocí a Zacarías Sánchez, el chófer de Cazzo.

—Cierra con cuidado —dijo con voz ronca y tranquila.

Hice lo que me había mandado y dejé los paquetes con suavidad encima de la mesa. Zacarías resultaba extraño sin su uniforme verde.

—Quítate la chaqueta, despacio. Eso es. Ahora date la vuelta sin hacer tonterías.

—No llevo pistola.

—No me fío.

Abrí la caja de los Montecristos y saqué uno. Estaba fresco y flexible como sólo pueden estarlo los

Montecristos frescos y flexibles. Lo mordí y apliqué mi encendedor a la punta. Expulsé volutas de humo azul al techo. Él siguió apuntándome con la automática. Intenté leer en sus ojos las intenciones que traía, pero no leí nada. Lo único que pude ver bajo la tirante tela de su camisa fueron sus músculos, que parecían una familia de ratones bajo un mantel.

—Ha dicho mi madre que tú también me andas buscando. ¿Qué quieres?

—Charlar contigo.

Algo parecido a una sonrisa surgió bajo su nariz.

—¿Tú también?

—En lo que a mí se refiere no es lo que te figuras. No trabajo para Céspedes ni para Frutos, si es que hay diferencia entre los dos.

—Eso no es respuesta. ¿Qué quieres de mí?

—Me han estado molestando mucho por tu culpa desde que decidiste desaparecer. ¿Te vale esta respuesta?

—¿Quién te ha estado molestando?

—Primero un tal Santos, después el subcomisario Frutos, que lleva el caso, y más tarde tu amigo Céspedes. Para terminar, esta misma mañana dos policías me han abordado cerca de tu casa pidiéndome recuerdos tuyos.

—Sí, me lo ha dicho mi madre. Mucha gente anda interesada por mí y ya me he cansado. ¿Qué es lo que pasa?

Su rostro semejaba un bloque pétreo que el azul de la barba resaltaba. La Webley me apuntaba a la cabeza.

—¿No lo sabes, Zacarías?

—No, dímelo tú.

—Céspedes afirma que le quitaste a Cazzo unos documentos que llevaba encima.

—¿Qué estás diciendo?

—Eso es lo que me ha dicho Céspedes. Incluso me ofreció una paga al mes para buscarte y está presionando a la policía para que extreme su celo contigo. Más aún, estoy convencido de que ha comprado por lo menos a dos policías. Se llaman Suárez y Marques.

—¿Por qué me dices todo eso?

—No lo sé. ¿Tengo que tener una razón?

—Sí.

Me encogí de hombros.

—Luego la pensaré.

Movió la pistola arriba y abajo, como si se hiciera alguna pregunta que no pudiese contestar.

—Veamos, plasta. ¿Céspedes te ha dicho que yo le quité unos documentos a Cazzo?

—Exactamente, y la policía piensa lo mismo. Céspedes también me dijo que trabajabas para él.

—Me pagaba para comunicarle dónde llevaba a Cazzo. Eso es todo. Llamaba por teléfono a Santos y se lo decía. No sé para qué lo querían saber, pero me daban dinero por eso.

—Estás metido en un buen lío.

—Yo no he cogido ningún documento.

—No es a mí a quien tienes que decírselo.

—¿Cómo sé yo que no estás con Céspedes? No me ha convencido mucho eso de que querías verme sólo para charlar conmigo.

—Si no me crees, allá tú.

Destapé una de las botellas y eché un trago. Era escocés auténtico o, por lo menos, debería serlo. Una de esas botellas cuesta en un comercio normal más de mil pesetas. Zacarías se guardó su automática en el cinturón y se quedó inmóvil en el sofá, supongo que pensando. Al fin dijo:

—¡Vaya mierda! —y luego habló como si repitiera pensamientos—: Se han cargado a la Emilia, ¿te has enterado?

—Sí, me he enterado.

—Son unos hijos de puta —chasqueó la lengua.

—Una noche vi a esa Emilia y a dos tipos en el club donde trabajo. Uno de ellos era alto y fuerte, con el pelo ondulado, y el otro joven, rubio y con la cara llena de granos, y tenían acento sudamericano. Les acompañaba un viejo que toca el acordeón, llamado Zazá Gabor —eché otro trago de la botella y el calorcillo del licor me reconfortó como para seguir hablando—. Bien, conseguí un par de pistas que me condujeron a la sauna El Sirocco. El muchachito rubio que se cargó a tu patrón en El Gavilán era el mismo que acompañaba a esa Emilia aquella noche.

Se levantó del sofá y los muelles mugieron. Era más grande de pie, más grande aún que Santos. Pronto tendría que cambiarle los muelles al sofá. Paseó por el cuarto, mirando al techo, con los brazos en jarras. Era como si yo no estuviera allí. Se acercó a la mesa y bebió de la botella abierta. Vi cómo se le movía la nuez al ritmo de los tragos.

—Ese perro baboso de Cazzo... —dejó la botella en su lugar, la tomé yo—. Una vez a la semana, los jueves, lo conducía a la sauna, decía que para relajarse... Emilia le relajaba muy bien.

—Esa información la sabe la policía, Zacarías.

En vez de responder, agarró de nuevo la botella y se atizó otro trago. Un trago de Zacarías era un cuarto de litro.

—Creí que eras abstemio, Zacarías.

—Mientras trabajo, no bebo.

—Sabia costumbre.

—Veo que tú has salido con el boxeo —miró los carteles y las fotos—. ¿Toni Romano es tu nombre de boxeador?

—Lo era, ya no boxeo.

—Ya veo. Yo pensé también en boxear, pero no lo hice. En cambio he hecho de todo, hasta pedir limosna y robar.

Agarró de nuevo la botella y yo entonces abrí otra, pero en vez de seguir allí de pie, alrededor de la mesa, me encaminé al único sillón que hay en mi casa, que está enfrente del sofá. Al lado hay una pequeña mesa que me sirve de mesilla de noche. Allí puse la botella. Me acomodé y seguí fumando. Zacarías se sentó en el sofá con su botella en la mano. Bebimos, yo con un vaso y Zacarías sin nada.

—Así es que tú no has cogido ningún documento.

—Eso es, nada de nada.

—Lo tuyo es engañar a los patronos, no robar documentos, ¿verdad, Zacarías?

—Cómo se nota que has sido de la bofia, plasta. Ni siquiera hizo falta que te lo preguntara aquel policía, Frutos. Yo me di cuenta enseguida. Sueltas como un tufillo.

Bebimos casi a la vez.

—El tufillo que tú sueltas es a embustero.

—Mira, tú y yo somos muy iguales. También me di cuenta de eso cuando nos vimos en El Gavilán. Pero hay una diferencia, yo no soy curioso y tú sí lo eres y eso te va a perder. ¿Por qué no te quedas tranquilo? ¿Qué te importa a ti el rubito o lo que yo hago o dejo de hacer?

139

Se levantó.

Le proyecté la izquierda a la cara. Pensé que iba a sorprenderle. Pero se movió con rapidez y mi puño le rozó la oreja. Vi su izquierda dirigida a mi mentón antes de poder moverme. Fue como si me hubieran dado con una caterpila. El techo y la pared de mi cuarto dieron un salto y caí al lado del sillón.

Recogí el Montecristo y me levanté trabajosamente. Él parecía igual de tranquilo que siempre. Nos volvimos a sentar cada uno en su sitio.

Bebí medio vaso de whisky puro. Él siguió haciéndolo directamente de la botella.

—¿Qué te ocurre, plasta?

—Eres un cerdo embustero.

Adelantó la cara.

—Tú si que eres tonto, plasta; no dejes que te engañen.

Le sacudí un gancho a la barbilla. Le di de lleno. Cayó hacia atrás, pero se levantó enseguida. Tiró la mesita y esquivó mi directo de izquierda.

—Bueno, quieres jugar, ¿verdad?

Detuvo otro golpe a la cara y de nuevo pude ver su puño. Choqué contra la pared, me cubrí la cara y me sacudió en el estómago. Resbalé hasta el suelo sin respiración.

Me puse en pie con dificultad y avancé hasta él.

—¿Eh, pero qué haces? ¿Estás loco? —gruñó.

Le sacudí en la sién, después en el ojo izquierdo y en el derecho, pero no se movió del sitio. Tomó impulso y hundió su derecha en mi hígado. Caí despacio con algo estallándome dentro. Cuando abrí los ojos estaba bebiendo. El Montecristo estaba pisado, y su pistola descansaba a mi lado. La empujé bajo el sofá.

Ya estaba incorporándome cuando me ofreció la botella.

Bebí sentado en el suelo.

—Eres un cabrón, plasta.

—Sí —conteste—, y tú me has soltado la sarta de mentiras más seguidas que he oído en mi vida.

Quise sentarme en el único sillón de la casa y de pronto no lo encontré. Lo que encontré fue su pie contra mi pecho. La botella se estrelló contra el suelo y sentí girar la casa: el balcón se puso encima y el techo debajo.

—Lo siento, te traeré otra. A ver si podemos beber en paz, plasta. ¿Sabes? Me caes bien.

Me puse de pie trabajosamente.

Ahora sí le alcancé de lleno con un par de golpes cruzados en los que coloqué todo mi peso. Pero aún no había retirado los brazos, cuando él me atizó con la fuerza de una coz. Le di nuevamente en la cara, luego en el pecho, y recibí mientras tanto otro par de golpes en la mandíbula. Una niebla espesa cubrió mis ojos. Cuando conseguí abrirlos, el chófer caía lentamente al suelo. Quise ir a la mesa donde estaban las bebidas pero lo único que pude hacer fue arrastrarme hacia ella. Zacarías hacía lo mismo. Yo llegué primero. Bebí otro trago.

—¡Eh, dame un poco! —exclamó.

Le tendí la botella.

—¿Qué has hecho con mi pistola?

Quería hablarle, pero no me salieron las palabras y le señalé el sofá. Le quité la botella y volví a beber. Así estuvimos bastante rato, no recuerdo cuánto. Un calorcillo me recorría el cuerpo. Verdaderamente se estaba cómodo en el suelo, se estaba fresco y muy bien. No recordaba nada que me gustara tanto como estar en el suelo.

Al fin pude articular palabra:

—¿Sabes hacer los triles?

—Claro, compadre, pero ahora no me apetece. Se está aquí muy bien, tienes un whisky muy bueno.

—Lo sabía —sonreí—. Sabía que tendrías que saber manejarlos.

—¿Sabes una cosa? Creo que estás zumbado, compadre.

—Eres un cerdo embustero, Zacarías. Y no soy tu compadre, no vuelvas a llamarme compadre.

Los dos estábamos en el suelo y su ojo derecho comenzó a ponérsele morado. Me dieron ganas de reír.

—Todos somos unos cerdos: yo, tú, Céspedes, Cazzo, su mujer y su hija, plasta. ¿Lo sabías?

—Traicionaste a Cazzo, después al cabrón de Céspedes y te callas que sabes quién mató a tu patrón.

—Compadre —me dijo, pasándome la botella—, Cazzo era peor que un perro y Céspedes una hiena que me daba dinero, y a mí me gusta mucho el dinero. ¿A ti no, compadre? Pero tienes que creerme, no he robado ningún documento.

—No me hagas reír.

El whisky se me cayó camisa abajo, pero bastante fue para mi garganta. Zacarías comenzó a reírse bajito, se notaba que no lo hacía a menudo.

—No entiendes la vida... —se incorporó a medias—. A propósito, ¿cómo has sabido dónde me escondía?... Nadie sabía la dirección de mi madre.

—La hija de Cazzo sí la sabía y los esbirros de Frutos también. Perdón, quiero decir, los esbirros de Céspedes.

142

—¡Esa zorra! —masculló.

—Sí, es bastante zorrita para su peso y edad.

—¡Ja, ja, ja! Tienes gracia, compadre.

—Como sigas llamándome compadre, voy a tener que sacudirte más, Zacarías... Una cosa, ¿por qué te fuiste del servicio de tan maravillosa familia?

—Me cansé, y como tenía unos ahorrillos...

—Que Céspedes te proporcionaba...

Bebimos otra vez. Escuché de nuevo su risa.

—¡Vaya mierda de familia, plasta! —exclamó, pero luego bajó la voz—. Estoy en un buen lío, Cespedes terminará por encontrarme.

—Tú lo conoces, ha sido amigo tuyo. Debes saber cómo torearle.

Dejó la botella en el suelo.

—¿Sabes que no eres tan tonto como pareces, plasta?

Se puso de pie después de esforzarse un rato. Yo lo intenté también, pero no pude. De todas formas, se estaba bien en el suelo y además tenía la botella. Me quedé donde estaba. Zacarías recogió su pistola levantando con una mano el sofá y se la colocó detrás. Luego fue a la mesa, abrió la última botella y me la dio. No me pareció un mal chico, quizá algo embustero y un poco trapacero, pero, ¿quién no tiene algún defectillo hoy en día?

—¿Puedo cogerte un puro, compadre?

—No, maldito embustero, deja esos puros.

No me hizo caso. Cogió la caja de puros y se la colocó bajo el brazo, pero luego se arrepintió, la abrió, sacó uno y me lo arrojó.

—Toma, para luego.

Ya estaba en la puerta y la abría.

—Gracias por los puritos, compadre, y por un par de ideas que me has dado. No sabes cuánto te lo agradezco.

Cerró la puerta, pero no escuché el ruido. Creo que me dormí.

15

Lidia llegó a las once echando chispas y cansada de esperarme en el Carmencita. Se calmó bastante al verme en ese estado y quiso cuidarme. Comenzó por llevarme a la cama. Aunque necesitaba descanso por encima de todo, no fue precisamente descanso lo que tuve esa noche. Si hay algo que espolee a una mujer es tener cerca a alguien magullado e indefenso y Lidia demostró que no era una excepción. Fuera por la razón que fuese, el caso es que después de pasar la mañana en la cama sin moverme, me sentí mucho mejor y decidí ir a buscar al Zazá Gabor.

Lidia quería quedarse conmigo y seguir cuidándome, pero, afortunadamente, su anciana madre también necesitaba de sus cuidados, de modo que se marchó. Media hora después yo iba camino de El Danubio por el callejón de Cádiz.

Entré en el establecimiento y, como siempre, me apoyé en el mostrador.

—¡Hola, Toni! —saludó Antonio—. Todavía no ha llegado el Zazá. ¿Qué te ha pasado en la cara, has vuelto al boxeo?

—No me ha pasado nada, ponme una caña.

La puso y me la bebí.

—Ponme otra.

Bebí hasta la mitad.

—¿Te reservo una mesa?

—Sí, hombre, resérvamela.

Escribió en un papel «Reservada», salió del mostrador y colocó el papel encima de una de las mesas. Sólo había una de ellas ocupada por una vieja flaca que hacía mucho ruido al comer. Pero a Antonio le gustaba hacer las cosas a lo grande y ése era uno de sus caprichos. Para eso había hecho un par de cursos, sin terminar, de hostelería.

Terminé esa caña, pedí otra y la terminé también. Después llegaron los empleados del banco cercano, vociferando y dándose palmadas en la espalda. Algunos se sentaron a comer. De todos modos quedaron cuatro mesas libres y había un total de diez en el comedor. Una hora después me senté en mi flamante mesa reservada y pedí el plato del día: macarrones con tomate, huevos fritos con bacon y piña en almíbar de postre.

Iba a pedirle el café a Antonio, cuando entró el Zazá.

Llevaba un pantalón de pana rosa ajustado y una camisa blanca remangada. Me pareció más viejo que cuando le vi en La Luna.

Se sentó en el banquillo de la tarima y se puso a tocar *Abril en París*. Después siguió con *Fascinación*, *Mi amor vive en esta calle* y otras que yo no conocía. Tocaba bien y con ritmo, ni demasiado fuerte ni demasiado bajo.

Así estuvo casi tres cuartos de hora. Cuando terminó, quedaba yo sólo en el comedor.

Antonio le dijo:

—No vengas tan tarde. Tienes que estar aquí a las dos, coño.

—No he podido.

146

—Pues esto no es la catequesis. O vienes a las dos o no hay manduca.

—Bueno, hijo.

Me levanté y le puse una libra en el platillo del dinero. No me reconoció.

—Muchas gracias, señor.

—¿Quiere tomar algo? —le señalé mi mesa.

Se levantó y nos sentamos.

—Una cerveza —dijo.

—Antonio, una cerveza, un puro y coñac —me dirigí al viejo. Sonreí—: Busco a una persona que debe algunos desperfectos en La Luna de Medianoche.

Ahora sí me reconoció. Se asustó un poco.

—¡Yo no tengo que ver nada!

—Lo sé, pagarán los otros. ¿Dónde está el rubito?

—¿El que venía conmigo?

—Sí.

—¿Usted es...?

Asentí con la cabeza.

—¡Yo no sé nada, señor! —exclamó.

Entonces llegó Antonio con un plato de macarrones con un huevo encima, la cerveza, la copa y el puro. Lo colocó todo sobre la mesa.

—Zazá, ha dicho mi tío que si vienes a estas horas que te despidas de la comida.

—No te preocupes, Antonio, hijo. A las dos estaré aquí —balbuceó.

Antonio se fue y el Zazá atacó el plato. Yo bebí mi copa y encendí el Troya.

Saqué un talego y lo alisé con los dedos.

—¿No conocías a nadie? Está bien, pero a lo mejor te acuerdas ahora. Ve haciendo memoria. ¿Dónde puedo ver al rubio?

147

Siguió comiendo. La dentadura postiza le chascaba al masticar.

—No sé.

—¿Seguro?

—No sé dónde puede estar. Yo no sé nada.

Negó con la cabeza. Hizo esfuerzos para no mirarme directamente a los ojos.

—¿Y a un tal Zacarías Sánchez, lo conoces?

—¿Zacarías? —preguntó con la boca llena.

—Sí.

Detuvo el masticar.

—No, no señor. Ya se lo he dicho, no lo conozco.

Había miedo, un miedo gris en su mirada.

—Vamos a ver si nos dejamos de tonterías, Zazá. Te estoy ofreciendo tela, pero también puedo ofrecerte otra cosa, como, por ejemplo, una llamada a la policía. A Emilia la han matado y tú estuviste con ella.

Le enseñé los dientes para que comprendiera que no era nada personal, pero él se puso a sudar. Los goterones le resbalaban por la frente y amenazaban con caer al plato de macarrones.

—¿Emilia?

—Dime ahora que no la conoces y te tragas el plato de golpe —le coloqué el talego cerca—. Sólo quiero que me eches una mano, Zazá, no estoy interesado en hacerte daño, sé de sobra que tú no te la has cargado.

—Yo me fui al salir de La Luna y ellos continuaron juntos, señor. ¡Le juro que no sé nada!

Pero los billetes verdes con la efigie de Echegaray atraen mucho, diría que tienen imán. El Zazá alargó la mano y sin levantar la cabeza del plato se lo guardó en el bolsillo.

—Muy bien, Zazá, ahora que se te ha refrescado la memoria empieza a hablarme de los dos caballeros de La Luna.

—Verá, señor, son hermanos —ruido al tragar—, el alto se llama Rubén Lacampre y el rubio es su hermano Gustavo, son cubanos. El rubio —otro ruido al tragar— no vive aquí, sino en América, creo que en Miami. Se lo escuché decir —me sonrió, pero como tenía la boca llena de macarrones a medio masticar, no fue demasiado agradable—. El Rubén es muy peligroso.

—Y es el dueño de la sauna El Sirocco, ¿verdad? Una sauna donde tú has ido a que te den algún que otro masajito. ¿No es cierto?

—Pues sí, señor —otra sonrisita.

—Mira Zazá, te he dado un talego para que cantes, pero no para que cantes tonterías. Si conoces la sauna, conoces también a Valeriano Cazzo, que iba a lo de los masajes, de modo que déjate de chorradas y dime lo que pasaba en esa sauna.

—¿Como, por ejemplo, si iba allí don Valeriano Cazzo?

—Has adivinado mis pensamientos. Tú y yo nos llevaremos bien.

—Pues sí que iba, ya lo creo. Pero venga esta noche a El Diamante, ahí en la calle del Pozo, y le cuento otras cosas. Le va a costar tres talegos.

—Un talego y sigue hablando de ese Rubén, anda.

—Ya le he dicho todo, es el dueño de la sauna y de un cabaré llamado El Edén, y se dice... —bajó la voz más aún—, se dice que es confidente de la policía. No sé dónde vive...

Se tragó entero el huevo: sonó como el ruido de una cañería obstruida.

—¿Y el rubito?

—Ya se lo he dicho, señor. Escuché decir que se volvía a Miami, eso fue lo que le escuché decir al Rubén. Por su madre se lo pido, señor, no le diga nada al Rubén, no le diga que yo le he dicho nada, no le diga siquiera que ha hablado conmigo. Es muy cabrón, ¿sabe usted? Es un hijo de la gran puta —se le iluminaron los ojillos—. ¡Ojalá que lo metan en chirona! ¿Esta noche en el Diamante? Venga a las diez, yo haré unas gestiones y usted trae tres talegos.

—Ya veremos. Si de verdad me cuentas algo más, son tuyos.

—Gracias, señor —murmuró—. Y de verdad se lo digo, yo no tengo nada que ver con la muerte de la Emilia. ¡Hacía unos masajes! ¿Usted la conoció? ¿No? No sabe lo que se perdió. ¡Qué lástima de mujer!

Le dije que nos veríamos a las diez y me levanté, pagué y salí a la calle. Le dejé pidiéndole a Antonio un helado de fresa de postre.

Subí por los sucios y gastados escalones de mi casa y al llegar al segundo piso sentí un tenue ruido procedente de arriba, como si alguien se frotara contra la pared.

Procuré que mis zapatos no resonasen en los escalones y ascendí despacio. Lidia me miraba apoyada en mi puerta con los ojos desencajados por el miedo. El pelo se le había soltado y le caía sobre los hombros.

—¡Oh, Toni! —exclamó—. ¡Por fin vienes!

—¿Qué ocurre?

Señaló la puerta.

—Dos hombres —balbuceó, me acerqué a ella y la abracé—. Estaba esperando a que llegaras y

150

cuando escuché ruido de pasos en la escalera subí un piso..., y..., y...

—Vamos, cálmate y cuéntamelo todo despacio.

—Eran dos y llamaron a la puerta, escuché lo que decían... Se quedaron un rato esperándote, no los vi.

Pasamos adentro y no se soltó del abrazo. La casa estaba en penumbra y durante un buen rato permanecimos abrazados. Me mojó un poco el hombro con su contenido llanto. Lidia no era una tímida jovencita y aquélla era la primera vez que lloraba en mi presencia. Luego nos sentamos en el sofá y conseguimos beber un par de tragos del último whisky que me quedaba.

—¿Sabes quiénes eran?

Negó con la cabeza.

—Sólo les oí hablar, y no me acuerdo mucho. Decían cosas como «este hijo de puta nos ha echado las tres cartas», «se ha pasado de listo» y «se ha reído de nosotros». No sé, Toni, ¡estaba tan asustada! ¿Quiénes eran, Toni? ¿Qué es lo que quieren?

—Me suena a Marques y Suárez, pero me extraña que se atrevan a tanto. Deben de estar desesperados.

—Toni, ¿en qué estás metido? ¡Por Dios, dímelo!

—En nada, Lidia, en nada.

Me levanté y paseé por el cuarto a oscuras. Contra la policía no se puede hacer nada. Se puede pelear contra un sujeto como Zacarías u otro parecido, pero no contra la policía. Si eran Marques y Suárez, estaba listo. Un policía siempre gana, tenga o no razón. Si te mata de dos tiros no hacen falta testigos que declaren que fue en defensa propia, basta con su palabra. Puede decir que le atacaste, que te resististe a ser interrogado o que te saltaste un control policial. Da igual. Las leyes están hechas con el supuesto de que la policía procede siempre con el código por delante, que no dispara si antes tú no lo intentas y que actúa en defensa de las leyes. Pero todo eso no es siempre verdad y es suficiente un solo caso para dudar y yo conocía bastantes. Veinte años en la policía te convierten en desconfiado.

Dejé de pasear y volví al sofá. Nos abrazamos, no se me ocurrió algo mejor que hacer en aquellos momentos. La besé, ella cerró los ojos y entornó su boca brillante de humedad. La humedad de Lidia, no sé si ustedes me entienden, es como una catarata de humedad. Nos aplastamos uno contra el otro, siguiendo el viejo y conocido rito.

Más tarde se dio la vuelta en la cama y mostró su fea cicatriz en la espalda, a la altura del hombro derecho. Era una línea blancuzca y zigzagueante en forma de pequeño cuerno. Le acaricié la espalda, pero no se despertó. Dormía con la placidez de los niños.

Alguien tocó las palmas en la calle y comenzó una bulería con voz pastosa, imitando a Camarón de la Isla, luego se calló y escuché sus pasos en la acera, alejándose. Parecía que el mundo se había detenido aquella tarde y hasta los gestos de acercar y alejar el cigarrillo a mi boca me parecieron eternos.

Apagué el cigarrillo y me levanté rumbo al cuarto de baño. Me volví a afeitar y me duché dos veces, hasta encontrarme suave y ligero y en forma. Me puse mi mejor traje, el azul nuevo, con una camisa celeste y la misma corbata negra de lanilla, que no es la mejor, pero sí la única.

Ella continuaba en la misma posición. Me senté en el sofá, la agité de nuevo y habló en sueños. Quizá, para alguien más exigente que yo, pudiera tener tres o cuatro kilos de más, pero no soy demasiado exigente y de todas formas me gustan así.

Abrió un ojo.

—Lidia, me voy.

—¡Eh!, ¿adónde vas?

—Tengo que hablar con el Boleros.

—¿Cenamos luego en el Carmencita?

—De acuerdo, a las diez y media, pero no me esperes mucho. A lo mejor no puedo ir.

—Tengo que saberlo. ¿Vas o no vas?

—Yo no puedo darte seguridad. No sé lo que puedo hacer después.

—Soy una idiota, muy bien, de acuerdo. Haz lo que te dé la gana.

—No se trata de eso, Lidia.

—Sí, se trata precisamente de eso, Toni. He hecho muchas tonterías en la vida, muchas, y los hombres no son únicamente todas las tonterías que he hecho. Ya no soy una niña, ni tú un niño. Quiero algo seguro, no ir y venir a esta casa como el cobrador del gas para que me des un revolcón. Esta tarde, ahí arriba en la escalera, mientras esos tíos te aguardaban para..., para..., hacerte algo malo, me he dado cuenta que no soy nada tuyo, ni siquiera una amiga o una parienta, sólo Lidia, la chica del guardarropa, y si me llegan a ver, seguro que me hacen daño, ¿sabes?, me hacen daño, por nada, porque tú no eres mi marido, ni mi novio, ni nada, ¿sabes?

—Soy demasiado viejo...

—No, no lo eres. Yo..., yo...

153

Me levanté y me dirigí a la puerta. Antes de abrirla, la miré. Desnuda, entre el revoltijo de ropa, tenía el aire de una diosa entrada en carnes, marrullera e ingenua al tiempo.

—A las diez y media en el Carmencita. Llamaré si no puedo ir. Y otra cosa, no abras a nadie.

Negó con la cabeza y apretó los puños.

—No... No.

—A las diez y media.

—No te das cuenta de que..., de que...

Cerré la puerta y descendí los escalones. Entonces no pensaba en todo lo que podía echarla de menos.

Siempre he sido un imbécil.

16

En el Melodías las sillas estaban sobre las mesas y olía a desinfectante barato y a humo de cigarrillo retenido. La mujer gorda y un poco calva de los servicios fregaba sin mucho convencimiento el local. El del peine se apoyaba displicentemente en la barra.

—¿Está visible El Boleros? —le pregunté.

Se despegó cuidadosamente del mostrador y me lanzó una ojeada ausente. Señaló hacia un rincón.

—Está hablando por teléfono con el jefe.

—Le esperaré aquí. ¿Le pasa algo? —volví a preguntar.

Se encogió de hombros y no contestó.

Me senté en uno de los taburetes y encendí un cigarrillo. El otro sacó de bajo el mostrador un fajo de billetes y se puso a contarlos.

—Hoy no estás muy hablador.

—Hay que saber callar —dijo sin volverse—. Por eso he pasado de aprendiz a encargado. En esta profesión unas cosas hay que decirlas y otras no.

Terminó de contar y puso el montón de billetes a su lado.

—Ésa es mi regla de oro. Ese desgraciado no la ha aprendido..., y a la puta calle.

Hizo un gesto despectivo con la boca y siguió en la misma posición de antes.

—¿Estás hablando del Boleros?

Asintió.

—El jefe se ha cabreado —ahora me miró—. El Boleros no ha sabido ser agradecido... Le dan un buen trabajo, fácil y de porvenir y él... En fin, se lo ha buscado.

—¿Quieres decir que han despedido al Boleros?

—Pues claro.

—¿Por qué?

—No es asunto suyo..., y además está cerrado. No abrimos hasta las ocho. Si quiere quedarse aquí, cierre el pico —hizo un ademán con el índice, tocándose el labio.

En esto salió el Boleros de los servicios. Avanzó deprisa al mostrador. Aún no se había cambiado de ropa y vestía uno de sus conjuntos coloridos, una chaqueta verde y pantalón a cuadros verdes y amarillos. La corbata era amarilla y contrastaba con el rojo subido del rostro. Me saludó con un golpe en el hombro y se encaró con el encargado.

—Me ha dicho ese cabrón que tú me darás la liquidación.

—Toma —le largó los billetes. El Boleros los cogió y comenzó a contarlos—. Y el jefe no es ningún cabrón. Está cumpliendo con su obligación... Si hubieras cumplido tú... Ahora no te quejes.

—¿Esto qué es?

—La liquidación.

—¿Doce mil pesetas?

—No tenía que darte nada, da las gracias encima.

—¡Pero tú estás loco, doce talegos de liquidación, pero macho...!

—Anda, vete ya, Boleros, no me des el coñazo —miró para otro sitio. La mujer de los servicios dejó de fregar y observó la escena.

—Escucha, Roberto, doce talegos no es nada. Esto no es una liquidación. Mira, llama al jefe y se lo explicas.

—¡Que lo llame!... ¡Pero tú que te has creído! Ha sido él quien me ha dicho que te dé doce billetes. Por mí, te ibas a la puta calle de una patada.

—¿Una patada?

El Boleros se quitó la chaqueta cuidadosamente y la dobló sobre un taburete.

—Sal de ahí a darme la patada, Roberto, anda.

El encargado metió la mano bajo el mostrador y sacó un cuchillo largo y afilado como un estilete. Aprisioné su muñeca y se la retorcí con fuerza. Soltó el cuchillo con un gemido.

Lo tomé del cuello de la camisa y del hombro y lo saqué por encima del mostrador. Aterrizó sobre los taburetes dando gritos. Recogí el cuchillo y lo lancé al otro lado del local. Se puso de pie más pálido que un saco de harina y el Boleros se colocó delante.

—Dame la patada...

—Haz el favor..., mira, yo... —balbuceó.

El zapato del Boleros le alcanzó de lleno en la entrepierna. Se dobló dando alaridos.

—¡Dale, Boleros! —jaleó la mujer gorda—. ¡Arréale en la jeta!

Le alcanzó con la izquierda. Después se abalanzó sobre él, rugiendo como un loco, y le mordió el cuello. Sus dientes se hundieron detrás de la oreja del otro, que lanzó un chillido espantoso. Tuve que apartarlo, si no, lo degüella.

—¡Déjame, que me lo cargo! ¡A ese tío lo mato, por mi madre!

—Ya está bien, Boleros —le sujeté de los hombros—. Ya le has dado su merecido. Es mejor que nos marchemos.

Se calmó poco a poco y lo solté. Luego se arregló la ropa y volvió a colocarse la chaqueta. El rey del peine, preso de temblores convulsos, lloriqueaba tocándose la herida del cuello.

Recogió el fajo de billetes, lo guardó en el bolsillo interior de su pantalón y se despidió de la mujer de la limpieza dándole golpecitos en la espalda.

Dimos la vuelta y salimos del Club Melodías. Escuchamos reír a la mujer de la limpieza; se reía a carcajadas.

Las noches seguían siendo frías a pesar de lo avanzado de la primavera. Caminamos calle Toledo arriba en silencio. El Boleros iba con las manos en los bolsillos y la cabeza baja y nos metimos en el Bar 21, un bar alargado, que parece un vagón de ferrocarril. No había mucha gente y pudimos sentarnos en una mesa del fondo. Pedimos café y coñac y el Boleros no habló hasta que se hubo bebido su copa.

—Han cerrado la sauna, Toni, y a esa Montse la han puesto en la calle. Creo que se ha ido a Barcelona, porque tampoco está en la pensión donde vivía. Si quieres te doy la dirección, pero no está.

Hablaba sin levantar la cabeza de la mesa.

—Gracias, Boleros, y ahora dime por qué te han puesto de patitas en la calle.

—¡Yo no soy ningún chivato! —exclamó—. ¡Y tú lo sabes bien! ¡Yo nunca me he chivado de nada!... Llamarme chivato a mí...

—Yo he tenido la culpa, Boleros, se han enterado de que me pasaste información y han presionado a tu jefe. ¿No es así?

—¡Pasarte información!... En realidad no te he dicho nada, Toni... Tuve miedo, ¿sabes? El cubano tiene mucha mano, tiene mano con la pasma y tiene mano con todo el mundo. Los sudacas llevan el patio, esto ya no es como antes —suspiró.

—Los que aquella noche fueron con Emilia a La Luna eran Rubén Lacampre y su hermano Gustavo, el chico rubio de la cara picada, que al parecer ahora está en Miami. Rubén es el dueño de la sauna y de un club llamado El Edén.

El Boleros me agarró del brazo y me lo apretó con fuerza. Me miró con ojos suplicantes.

—Estás teniendo mucha suerte, Toni —susurró—. Olvídate de este asunto, por favor. No sé qué sabes ni me importa, pero no abuses de tu suerte. El cubano ha podido matarte cien veces, pero alguien le ha parado, alguien le ha dicho que no y el cubano está que echa chispas. Hazme caso y tómate unas vacaciones.

Terminé mi copa y ambos nos sumimos en un pesado silencio. El Boleros estaba nervioso e intranquilo y dos o tres veces miró a su alrededor.

—Sabes lo que hacen con los chivatos, ¿verdad?

—Sí.

Se removió inquieto.

—Lo que te he dicho de esa Montse va a misa —juntó el índice y el pulgar y los besó buscando la lengua—. Yo no te diría una cosa por la otra. ¿Qué más quieres ahora?

—El Zazá Gabor trabaja para el cubano, ¿verdad? Dime sí o no y no te enrolles.

—Sí, y yo no me fiaría de ése.

—¿Y de ti, crees que debo fiarme de ti?

Bajó la cabeza. Luego me miró.

—Tampoco. Yo vivo con ellos, Toni. Nos ayudamos entre todos y nos conocemos todos. No te fíes tampoco de mí. No te fíes de nadie. El Zazá Gabor ha avisado ya al cubano de lo que hablasteis en El Danubio. Ese Zazá es una rata —me sonrió, fue una sonrisa triste—. Vete de aquí, Toni, una temporadita.

—Eres muy amable, Boleros.

—Y tú, idiota. Mira lo que has hecho conmigo, ponerme en la calle, y ha sido un aviso. A ti también te han avisado muchas veces y no te has querido enterar —hizo una pausa y volvió a apretarme el brazo—. El que yo esté ahora mismo contigo no es bueno para mi salud —susurró—. Toni, Lacampre se puede cansar y entonces nadie lo va a parar, ¿comprendes? Has visto demasiadas cosas y andas haciendo visitas a lugares que no debes. Ahueca el ala, hazte el san silvela…, y no te acerques más a mí, por favor. ¿Vale?

—Por supuesto, Boleros —saqué la cartera y de ella un billete de cien duros, lo coloqué encima de la mesa—. ¿Es suficiente o tengo que pagarte más por la información? ¿Cuánto quieres?

—¡No soy un boqueras! —se levantó de golpe y apretó los puños—. ¡Retira eso ahora mismo!

Los parroquianos dejaron momentáneamente de hablar y miraron distraídos.

Caminé hasta la salida con los ojos del Boleros clavados. Y juraría que no eran de odio.

El Restaurante El Diamante está en la calle del Pozo, al lado de una vieja pastelería que hace las mejores empanadas de hojaldre y salmón del mundo, y sirve comidas ininterrumpidamente día y noche. Pero si usted quiere comer algo después de la una y media de la madrugada, debe dar la vuelta, entrar en el portal de al lado, que huele a orines de gato y está oscuro, y llamar a una puerta lateral que se encuentra a la izquierda según se entra.

Como eran las diez de la noche, entré por la puerta principal. Al abrirse, sonó una campanilla. Una vieja gafosa, con el pelo recogido en un moño, se escarbaba la dentadura con un palillo frente a la caja registradora. Cuando me vio se quitó el palillo, me saludó y volvió a hacer lo mismo.

El local era alargado, dividido por un arco. Al fondo distinguí el comedor. Me acerqué al pequeño mostrador.

—Busco al músico, al Zazá Gabor.

—Pues no ha venido todavía, ya tenía que estar aquí. ¿Quiere usted algo de él?

Le sonreí.

—Me debe dinero.

—Es un informal. Ve usted, no ha venido.

Moví la cabeza.

—Con gente que no cumple, no marcha nada. No hay manera.

—Diga usted que sí. Así no hay forma. ¿Y le debe mucho?

—Veinticinco mil. Me dijo que su mujer estaba necesitada de una operación.

—¡Su mujer! ¿Pero no sabe que es soltero? —el pecho se le empezó a agitar como una sacudida por una risa interior.

—¿Qué me dice?

—Le ha tomado el pelo.

—Siempre me pasa lo mismo. La gente me engaña. ¿Y qué hago ahora?

—¿Veinticinco mil pesetas?... ¡Je, je, je! ¡Ay, qué gente más mala hay, madre mía!

—¿No tendría usted su dirección, señora?

—Pues sí, vive ahí al lado, en la calle de la Cruz, puerta con puerta con una tienda de radios. No tiene pérdida, es una casa de ladrillo rojo.

—Muchas gracias, no sabe cuánto se lo agradezco.

—De nada. Y usted no sea tonto... ¡Je, je, je! No le preste a nadie ni una peseta.

—Pierda cuidado. ¿Puedo utilizar el teléfono?

—Funciona con duros.

El teléfono estaba detrás de la puerta. Coloqué dos duros en la ranura y marqué el número de mi casa. Sonó, dos, tres veces..., nadie lo cogió. Colgué, recogí las monedas y me despedí de la vieja, que continuó hurgándose la boca con el palillo.

Dudé entre el Carmencita o el amigo Zazá. Opté por lo último y me dirigí a la calle de la Cruz.

Los bares estaban a rebosar de gente que reía y charlaba. Grupos de chicas muy jóvenes soltaban carcajadas entrando y saliendo de los establecimientos como si quisieran marcar algún récord. A través de los cristales pude ver a los atareados camareros sirviendo cañas y raciones a la gente despreocupada y feliz. Encontré una cabina de teléfonos que funcionaba y marqué el número del Carmencita. Alguien descolgó el aparato pero, antes de que hablara, colgué.

Continué calle Cruz arriba hasta que vi la tienda de radios.

El edificio era efectivamente de ladrillo rojo. Tenía cuatro plantas y estaba aislado de los demás por una especie de patio amurallado, de cemento, que lo rodeaba. Parecía una de esas casas erigidas durante la fiebre reconstructora de los años cuarenta, con mucho de cuartel y convento de monjas. Unas escaleras conducían desde la calle al portal.

Atravesé el vestíbulo desnudo y mal barrido y encontré en uno de los casilleros el nombre de Javier Garrido, Profesor de Acordeón. Ése era el nombre del Zazá Gabor.

Me introduje en el ascensor y pulsé el último piso, sin ver a nadie. Cuando llegué, aún tuve que subir más sombríos escalones hasta la puerta. Faltaba una buena mano de pintura y varias semanas de concienzuda limpieza. Toqué el timbre.

El sonido se perdió. Aguardé un poco y volví a pulsarlo. La cerradura parecía barata y de resorte simple. Extraje mi carné de indentidad de la cartera y lo probé en la ranura.

Tiré hacia abajo y se escuchó un chasquido. La puerta se abrió.

Me encontré en un vestíbulo. Había un perchero con un par de prendas y una silla de respaldo de tela. El vestíbulo comunicaba con un pasillo. Cerré la puerta con cuidado y encendí la luz. Al fondo distinguí una puerta entreabierta. La casa olía a sudor y moho.

Avancé despacio y empujé la puerta. Entré en una habitación que tenía dos ventanas cubiertas por cortinas de algodón estilo marroquí, un sillón de mimbre con aspecto de nuevo, un mueble bajo ocupado por el acordeón, en cuya parte superior habían colocado una radio barata, y un jarrón con plantas secas. En el centro del cuarto, una alfombra de nudos pedía a gritos una pasada del aspirador. Eso era todo, si se descontaban un par de reproducciones descoloridas colgadas de las paredes y un sofá de eskay tapizado de azul.

Eso era todo, en cuanto a muebles se refiere.

Porque el Zazá estaba tumbado en el sofá de eskay con la cabeza aplastada. La frente le había desaparecido y en su lugar aparecía un revoltijo de sesos, hueso hundido y sangre, mucha sangre, que había resbalado al sofá y al suelo y salpicado la pared. Vestía su pantalón de pana rosa y la misma camisa blanca remangada, ahora del mismo color que el pantalón. Se habían empleado a fondo, concienzudamente, porque aquello no era obra de un golpe o dos, sino de muchos golpes.

No pude acercarme para saber si estaba muy frío. La sangre encharcaba el suelo a su alrededor y la idea de pisarla no me pareció la mejor en aquel momento. Como la sangre aún no estaba coagulada del todo, calculé en dos o tres horas el tiempo de su muerte.

Podía haberme quedado un poco más, registrar la casa y mirar sus cosas, pero no lo hice. No me pregunten por qué.

Caminé hasta la puerta, borré posibles huellas con mi pañuelo y la abrí con cuidado. No vi a nadie.

Bajé las escaleras sabiendo de nuevo que la sangre tiene un olor obsceno y dulzón.

Media hora más tarde, un taxi me dejaba frente a la Taberna Carmencita, en la calle Libertad, esquina a San Marcos. Eran las doce y veinticinco minutos de la noche.

Me abrió Rafa, un tipo como de treinta años, flaco, con gafas, y de gestos vivaces.

164

—Tu chica ya se ha ido, Toni —me dijo al verme.

El local estaba en penumbra y cenaban tres o cuatro rezagados. Saludé a Pepe, el padre de Rafa, y a su tía Carmen.

—Traes mala cara, ¿qué te pasa?

—Nada. ¿A qué hora se ha ido?

—Hará quince minutos. ¿Quieres un vino?

—Sí.

Me colocó delante el vino. Era un buen Valdepeñas de la provincia de Toledo a pesar del agua que le echaban. Bebí ese vaso y Rafa me colocó otro.

—La chica se fue hecha una furia. ¿Tienes muchas como ésa?

—Tengo un harén en casa. Oye, Rafa, ¿has estado alguna vez en El Edén?

—Un par de veces, es un antro de zorras. ¿Qué pasa, tienes intención de ir? Esta noche no puedo.

—¿Te dice algo el nombre de Rubén Lacampre?

—Claro, el cubano. Es el dueño, un macarra de cuidado, controla Montera, Valverde y el Barco. Es el que surte de tías a la mayoría de los antros de esta parte de Madrid.

—Tú has vivido toda la vida en esta calle, Rafa, así que haz memoria y dime si sabes algo del hermano del cubano, un chaval joven, rubio y con la cara llena de boquetes.

—No sabía que el cubano tuviese un hermano... Toni, te veo preocupado... ¿Qué te ha ocurrido en la cara? ¿Has vuelto a boxear?

—No.

—¿Vas a ir a El Edén?

—Creo que no, primero voy a buscar a Lidia y después voy a intentar que se le pase el cabreo.

—Me parece muy bien. ¿Más vino?

—No, ya está bien. ¿Se enfadó mucho?

—Sí. ¿Quieres cenar? Tenemos sesos de cordero.

—No quiero sesos de cordero. No me nombres los sesos de cordero.

—Antes te gustaban.

—Pues me han dejado de gustar.

—¿No quieres cenar?

—No.

Le dejé diez duros y me fui.

17

No sé si me andaban siguiendo desde hacía mucho rato o eran figuraciones mías. Pero al salir del Carmencita me sentí vigilado. Bajé por la calle Libertad hasta Infantas y continué andando por Virgen de los Peligros y la Gran Vía con esa sensación clavada en la nuca.

A mi lado parecían pasar personas inocentes y ajenas: quinceañeras gritonas, novios besucones, hombres, mujeres, viejos... Al llegar a un quiosco de periódicos me detuve a hojear el *Diario 16* y entonces lo vi. Caminaba a unos cinco metros detrás y podría ser confundido con cualquier padre de familia que regresase a casa. Llevaba una gabardina, las manos en los bolsillos, y andaba de forma distraída, pero su barba era inconfundible. Se trataba de Loren, el encargado de la sauna El Sirocco.

Dejé el periódico y apresuré el paso hacia el semáforo. Sentía una respiración jadeante, me volví y Loren me agarró del brazo. Su cara brutal estaba roja por el esfuerzo. Al mismo tiempo, algo duro se apoyó en mis costillas.

—¡No te muevas! —bramó—. ¡O te mato aquí mismo!

—¿Qué quieres?

Siguió jadeando. La proximidad de su cara no me gustaba, pero la dura presión en mi flanco me aconsejó hacerle caso.

—Vamos a dar un paseo los dos muy tranquilos —sacó la mano del bolsillo y vi fugazmente el cañón de una automática de gran tamaño, con silenciador. Parecía una Browning.

—¿Adónde?

—No te importa, y te aviso que puedo abrirte un par de agujeros en el cuerpo. Me acuerdo mucho del truquito en la sauna. Ahora escúchame bien, te vas a meter las manos en los pantalones y las vas a dejar ahí hasta que yo te diga. ¿Lo has entendido bien? —me clavó la pistola con fuerza.

—Sí.

—Entonces, vámonos.

Eché a andar y él me agarró del brazo derecho. Me fue empujando Gran Vía arriba, luego entramos en la calle Valverde. Estaba llena de mujeres paseando solas o en pequeños corros, mientras un numeroso grupo de hombres de todas las edades parecía esperar algo caído del cielo. Caminábamos sorteando gente, pero algo extraño debía emanar de nosotros porque, antes de tropezar, daban un rodeo y se alejaban a paso rápido.

—Las balas van más de prisa, listo —dijo, como si adivinara mis pensamientos—, haz la prueba.

—¿Adónde me llevas?

—No hagas preguntas y camina.

Desembocamos en la calle Desengaño y entonces vi la fachada del cabaret. No se llamaba El Edén, como me habían dicho, sino New Edén, me figuro que por los tiempos. Dimos la vuelta y al llegar a un portal oscuro me soltó y sacó la automática del bolsillo. A pesar de la oscuridad estaba seguro de que se trataba de una Browning. Apuntándome con ella, sacó una llave de las profundidades de uno de sus bolsillos, abrió una puerta pintada de gris y encendió la luz. Hasta mí llegó el lejano rumor de la música. Unas escaleras se perdían en un pasillo lleno de cajas de cerveza y trastos viejos.

—Baja por ahí —movió la pistola.

Le obedecí. Cerró la puerta y recorrimos el pasillo en completo silencio, sintiendo la música cada vez más cerca. Al llegar a otra puerta nos detuvimos. Una bombilla mortecina la iluminaba.

—¡Túmbate en el suelo! —ordenó—. ¡He dicho que te tumbes!

Otra vez le hice caso. El suelo estaba húmedo y olía a moho. Más allá, el pasillo terminaba en el cuarto de calderas del edificio. No podía volverme, así que escuché cómo abría la puerta y la música entraba en el pasillo acompañando a más luz.

—Levántate y entra.

Me sacudí la ropa y traspasé la puerta. Hasta creí distinguir lo que tocaba la orquesta, era *Té para dos*. Sin duda estábamos en lo que sería la trasera de la pista de baile. Un camarero con chaquetilla negra pasó junto a nosotros y su mirada nos penetró, inexpresiva, como si estuviéramos hechos de aire.

—Ya hemos llegado, entra ahí —me empujó hacia una puerta donde ponía «Privado» en letras doradas.

Pero por lo visto aún no se habían acabado los pasillos, aunque éste estaba enmoquetado y olía a limpio. La última puerta estaba barnizada y en ella estaba escrita la palabra «Gerencia». Había otras, en las que escuché rumor de voces y el tecleteo de una máquina de escribir, pero nuestro destino era la última.

La abrió y entramos.

Era una sala, imitación perfecta de un despacho inglés. Las paredes estaban forradas de lienzo color tabaco, con pesadas estanterías que sostenían filas de libros. De las paredes colgaban reproducciones de veleros en tormenta y caballos corriendo por las orillas de mares amenazadores. Al fondo, una pesada mesa de caoba sugería un mejor destino para un cenicero limpio, un teléfono y una carpeta verde. En uno de los rincones, un sofá chester, una mesita y dos sillones formaban una rinconera.

—Levanta las manos y ponlas en la nuca —me ordenó el barbas.

Me registró rápida y expertamente.

—¿Desde cuándo me seguías?

—No te importa —gruñó, y movió la pistola cerca de mí.

—Ahora vamos a ponernos cómodos.

Loren me hizo sentar en el sofá y él se colocó en un sillón a unos diez metros de mí. Lo suficiente como para asarme a tiros al menor movimiento. No hablaba ni hacía gesto alguno, excepto apuntarme.

Una Browning GP-35 pesa casi un kilo y tiene un cargador donde caben trece balas del calibre 9 Parabellum. Pueden ponerse más, pero se corre el riesgo de encasquillarla. De modo que, el que tiene una y es medianamente sensato, utiliza el cargador con trece balas.

El tipo que tenía enfrente apuntándome sin pestañear parecía cualquier cosa menos un insensato, de forma que no quise hacer la prueba y seguí sentado. A esa distancia, una bala Parabellum del 9 te puede abrir un agujero en el cuerpo por donde puede entrar un balón de fútbol.

No le pregunté si podía fumar, sino que, simplemente, encendí un cigarrillo. Como no me disparó, supuse que no le importaba y me pasé la mayor parte del tiempo fumando. Así estuvimos hasta que cesó el rumor de música y voces que se filtraba a través de las paredes.

Poco después sonó el timbre del teléfono. Sonó dos veces y el barbas se levantó despacio. Sin dejar de apuntarme avanzó hasta descolgarlo.

—¿Sí? —asintió con la cabeza—. Sí, señor, de acuerdo, sí; usted manda. Ya lo creo, no habrá problemas. Se lo garantizo.

Colgó y me observó en silencio. Pasado un rato dijo:

—Levántate, vamos a dar un paseo.

—Quiero hablar con tu jefe.

—A eso vamos, a hablar con el patrón. Él no puede venir a verte. Está muy ocupado.

—Rubén Lacampre, ¿verdad?

Movió la pistola.

—Sí, y ponte de pie de una vez —lo hice y él se movió con cautela por el despacho hasta que se situó a mi espalda—. Ahora quítate la chaqueta —ordenó—. Y no intentes hacer lo de la sauna. Te salió bien una vez.

Dejé la chaqueta encima del sofá chester.

—¿A qué estás jugando, Loren?

—Mete las manos dentro del pantalón por detrás.

Encogí el estómago y pude meter las manos. Maldije el tener pantalones tan estrechos.

—Muy bien, y sigue sin volverte.

Comprobó que las manos estuviesen bien profundas y recogió mi chaqueta. Me la colocó sobre los hombros.

—Escucha bien lo que voy a decir, porque no te lo repetiré más. Voy a llevarte al jefe vivo, pero si haces un movimiento brusco, cualquier cosa, te mato. ¿Lo has entendido?

Me había dado la vuelta y me hablaba apuntándome a los ojos.

—Sí.

—Entonces, andando.

Abrió la puerta y me empujó al pasillo enmoquetado. Ahora todo estaba en silencio, nuestros pasos no se oían. Llegamos a la trasera de la pista de baile y la atravesamos empujándome a cada paso. Desembocamos en la pista de baile.

La sala estaba vacía y en penumbra y flotaba en ella un olor acre a tabaco y mujer. Sorteamos las mesas y siguió empujándome hasta que me detuvo frente a una de las puertas de salida. La abrió y el fresco de la calle me golpeó la cara, pero no me refrescó. Era un aire pesado y plúmbeo.

—¿Sabes lo que es un tiro con esta Browning? Estoy seguro de que lo sabes, de modo que sé un nene bueno y dirígete hasta aquel coche.

Había un enorme coche aparcado en la acera. La calle parecía desierta. El barril barbudo volvió a empujarme y cruzamos la acera. Con una mano abrió el maletero.

—Entra rápido —silabeó—. No hagas el tonto.

—Me gusta más ir sentado.

Al bolsillo de su gabardina gris le había salido una protuberancia.

—Entra o te mato aquí mismo.

—¿Adónde vamos?

—¡Entra! —masculló—. ¡Entra ahí o te liquido!

Alcé la pierna y me acosté en el maletero. Sabía que no bromeaba, me mataría con la misma facilidad que a una chinche.

Escuché la llave en la cerradura y, a continuación, el ronroneo del motor y el coche se puso en funcionamiento. Aquello olía a grasa. Saqué las manos del pantalón y registré el maletero a ciegas. Encontré un trapo viejo y un trozo de cartón pequeño. Nada que pudiera servir para forzar la cerradura, suponiendo que pudiera forzarla.

Me coloqué boca arriba y empujé con las rodillas una y otra vez. Luego con las manos y los pies, pero no había espacio suficiente y comencé a jadear. No podía estirarme y comencé a sentir que el aire faltaba.

«Tranquilo, tanquilo», pensé, «no te pongas nervioso, y empieza ahora mismo a pensar de qué forma vas a salir de aquí.»

Sudé como si todos los poros de mi cuerpo se hubiesen abierto a la vez.

Era un animal llevado al matadero, con la particularidad de que los animales no lo saben y yo sí lo sabía.

Iban a matarme. Lacampre no era ningún aprendiz. Este viaje tenía por objeto quitarme de en medio en algún paraje solitario.

Agucé el oído y percibí una mayor velocidad. Sin duda corríamos por una carretera. Después de un rato, supe que gritar o golpear la chapa no serviría de nada. Me puse a pensar en la forma de escapar de allí y no encontré ninguna. Lo malo era que tampoco tenía posibilidad de librarme del sujeto. Era listo, realmente listo. No había cometido un error y yo, en cambio, los había cometido a montones.

Nuevamente tanteé la cerradura en la oscuridad. Había una posibilidad de abrirla utilizando algún objeto puntiagudo. Mi cerebro se puso a funcionar.

«¡La hebilla de mi cinturón!», pensé.

Convulsivamente me quité el cinturón. La hebilla era de acero, estaba hecha para que resistiera el peso del Gabilondo. Metí el punzón en la cerradura y lo maniobré con todos mis sentidos puestos en lo que hacía.

Probé mil veces y acabé con los dedos destrozados. Me dejé caer contra el fondo y respiré entrecortadamente.

El coche siguió avanzando a gran velocidad, y, a juzgar por el ruido del motor y los vaivenes, corría por una carretera mal empedrada y llena de curvas.

«Aquí se acaba», pensé. «Cuando abra sólo tendrá que disparar contra mí con la tranquilidad del que lo hace en el tiro al blanco. Así de fácil.»

De pronto el coche se detuvo con un frenazo seco.

No sé cuánto tiempo duró el viaje, una hora, dos o tres, porque había perdido la noción del tiempo intentando, inútilmente, salir de allí. Lo único que había sacado en claro eran dolores y calambres en brazos y piernas.

Sentí cómo Loren abría la portezuela delantera y pisaba algo parecido a la grava. Agucé el oído con la esperanza de oír algo más, pero sólo escuché su tos perruna y un silencio de tumba. Habíamos llegado a algún sitio, sí, pero, ¿adónde? Y, sobre todo, ¿para qué?

18

Seguí de aquel modo durante mucho tiempo más. Poco a poco sentí cómo se aproximaba otro automóvil. El ruido se hizo más cercano, hasta que percibí que aparcaba cerca. De nuevo puertas se abrieron y cerraron y el sonido de muchos pasos en la grava se confundió con voces roncas. Alguien soltó una prolongada carcajada y golpeó el maletero repetidamente.

Estuvieron dando vueltas alrededor del coche, hablando en murmullos y riéndose como si aquello fuese una excursión campestre. Por fin abrieron el portaequipajes.

Lo primero que percibí fue la oscuridad de la noche, después el cañón de la Browning de Loren, que era ya una obsesión dirigida a mi cabeza, y a continuación la calva reluciente de Santos y la figura de un hombre, también alto, ancho de hombros y con las manos metidas en una chaqueta cruzada. No me costó trabajo reconocer a Rubén Lacampre, el cubano.

Se recortaban en la noche como siluetas venidas del infierno, y como todo era muy alegre, se reían.

—Baja ya —ordenó Loren, y él también soltó una risita para no ser menos que sus jefes.

Pisé el suelo y respiré aire puro. Distinguí el Dodge de Santos un poco más lejos. Sus faros encendidos trazaban una senda luminosa hacia donde me encontraba. Por lo que pude ver, estábamos en un bosque frondoso de altos árboles, cuyas copas agitaba débilmente el viento. Detrás de los hombres se alzaba la incompleta estructura de una casa en construcción.

—¿Qué tal, chico? —habló el cubano—. ¿Tuviste buen viaje?

—¿Que significa esto, Santos? —pregunté.

—Que has ido demasiado lejos, Toni —me respondió—, y no has sabido ver lo que te convenía.

—No he visto a nadie en mi vida con tantas ganas de morirse —dijo el cubano—. Tú solito te lo has buscado, comemierda.

—¿Y ahora? —pregunté.

—Que has acabado el viaje —contestó Loren, mientras acariciaba su automática.

—Vaya —dije yo—, qué cantidad de atenciones... Con el Zazá fue distinto, una chapuza.

—Sí —contestó el cubano—, tienes razón, creo que ahora Loren quiere esmerarse. ¿Verdad Loren?

—Sí, señor Lacampre.

—¿Por qué te lo cargaste, Loren? El Zazá era de los vuestros.

Loren miró a su jefe y se encongió de hombros.

—Me arañó, señor Lacampre, y...

—Nos pidió dinero por una información sobre ti —contestó el cubano—. ¡Pobre diablo! Cuando Loren le dijo que eso no valía ni el dinero del metro, parece que se cabreó. Nunca se llevaron muy bien esos dos. ¿No me lo contaste así, Loren?

—Sí, señor Lacampre.

—Contigo será más limpio. Detrás de la casa hay un pozo que vamos a cegar, tú serás la primera piedra.

176

Miré a mi alrededor. Sólo vi árboles silenciosos y oscuros. Saqué mi paquete de cigarrillos y encendí uno.

—¿Puedo?

—¡Acabemos ya! Tengo que regresar a Madrid —exclamó el cubano.

—La última gracia —dijo entonces Santos.

—De acuerdo, fúmate el cigarrillo.

Me apoyé en el coche y acerqué el cigarrillo a mis labios. Aspiré el humo. Los árboles se mecían despacio llenando la noche de rumores.

—No se puede decir que no se te han dado oportunidades, ¿eh, chico? —dijo el cubano—. Pero a ti no te dio la gana trabajar para nosotros —señaló a Santos—. No se puede negar que tu ángel guardián ha gastado saliva y tiempo contigo. ¡Pero, chico, tú, erre que erre, a meter las narices donde nadie te llama!

—Ahora que ya está arreglado todo —dijo Santos—. ¡Qué lástima!

—Es verdad —consultó el reloj—. ¿Cuánto te va a durar el cigarrito, chico?

No dejaría que me baleasen de espaldas, frente a un pozo. Cuando acabase el cigarrillo me lanzaría sobre el barbas para que me matase allí mismo. Probablemente sería una muerte dulce y tranquila..., si me apuntaba bien.

Di otra calada.

—Tiene agallas —dijo el cubano—. Ya lo creo. Me parece que tu amigo Santos tenía razón cuando nos pedía que no te matásemos.

—Gracias, Santos —dije yo.

—¡Eh, lo ves! —gritó el cubano—. ¡No te digo qué chico!

—Sí, tiene agallas... —contestó Santos—. Y voy a ir contigo hasta el pozo, Loren. Nada más para estar seguro.

—No hace falta, señor Santos —enseñó los dientes—. De verdad. Se rió de mí una vez, pero nada más. Lo he traído yo sólo desde la Gran Vía.

Santos metió la mano despacio en la sobaquera y extrajo el revólver plateado, que refulgió bajo la luz de los focos. Dio vueltas al tambor y comprobó que estaba cargado. El revólver era un Nagant.

—Para estar seguros, Loren.

El barbas miró a su jefe, interrogándolo.

—Déjalo, Loren.

—Bueno, está bien —contestó éste.

La última calada. La colilla me quemó los dedos. Chisporroteó un poco y la arrojé al suelo. Los músculos de la nuca y del estómago se me habían convertido en una pelota de plomo.

Santos me tomó del brazo.

—Vamos, Toni.

Llevaba el revólver bajo, pero, de pronto, lo levantó rápidamente y alargó el brazo. Vi el fogonazo en la oscuridad como una lengua de fuego. Después, el fogonazo se repitió y el ruido fue semejante al descorche de una botella de champán. Dos puntos rojos surgieron en la frente de Loren, no más grandes que una moneda de peseta. Abrió la boca y los ojos se le vidriaron, dio dos pasos hacia atrás y los focos del coche le alcanzaron de lleno. Cayó de rodillas, pretendió levantar el brazo y finalmente gimió, desplomándose silenciosamente.

Me arrojé al suelo. Las piedrecitas se me clavaron en los codos. El cubano había lanzado una interjección de asombro y ahora corría en dirección al

Dodge. Sus zapatos levantaron nubecitas de guijarros y polvo. Santos giró sobre su cuerpo, las piernas abiertas y los dos brazos extendidos, agarrando el Nagant tal como nos habían enseñado en la Escuela de Policía.

Del cañón del revólver surgieron las llamaradas azules, tres veces. El cubano pareció tropezar, y su cabeza golpeó sonoramente la chapa del coche. Sus manos se aferraron a la puerta y se quedaron allí un tiempo que se me antojó largo. Luego vi cómo resbalaba y caía de espaldas sobre la grava del jardín.

Me arrastré hasta el cadáver del barbas y le arranqué la Browning de sus engarfiados dedos. Me levanté con ella y la dirigí hacia Santos, que miraba al cubano. Eran dos figuras oscuras, una alta, inmensa, y la otra un bulto en el suelo. La luz de los faros eran una trinchera entre ellos y yo.

—¡Tira la pistola, Santos! —grité.

Levantó la cabeza y me contestó despacio:

—No podemos perder tiempo —dijo como si me hablara de otra cosa—. Hay que salir de aquí rápidamente.

Se guardó el Nagant en la funda de la sobaquera y empujó el cuerpo del cubano con el pie.

—Toni, ayúdame. Vamos a meter a estos tíos en el coche de Loren. Y date prisa, no te quedes ahí parado.

Abrió el portaequipajes de su coche y colocó en el suelo un bidón blanco. Luego agarró al cubano de los sobacos y lo arrastró hasta donde yo estaba. Abrió la portezuela delantera de su coche.

—¿Vas a ayudarme?

Tiré la Browning y lo agarré por los tobillos. El cubano estaba caliente, y excepto la nuca, que parecía hecha de barro húmedo y goteante, todo lo demás no indicaba que estuviese muerto. Lo colocamos sobre el volante. Después, Santos abrió la portezuela trasera y recogimos a Loren.

Loren tenía los ojos abiertos, muy abiertos, y pesaba más que su jefe. Lo tendimos detrás. Santos se agachó, tomó la Browning del suelo y la colocó cerca de su dueño. Después, jadeante por el esfuerzo, transportó el bidón, lo desenroscó y comenzó a verterlo en las ropas de los dos cadáveres, el interior del coche y el portaequipajes. Lo último fue para la chapa exterior. El bidón fue a parar al asiento delantero.

Rascó una cerilla, la protegió con sus enormes manazas y la aplicó a la carrocería. La primera llamarada fue azulada, pero después, en segundos, todo el coche se cubrió de un manto de fuego, como la pira funeraria de un vikingo.

—Vámonos ya. Explotará dentro de un minuto —me tomó del brazo y corrimos a su Dodge.

Arrancó enseguida, giró el volante y enfiló un camino que se perdía en el bosque. Yo volví la cabeza. El coche era una, ascua de luz que chisporroteaba iluminando la silueta del chalé en construcción y los árboles próximos.

Encendí un cigarrillo procurando que no se me notara el dislocado temblor de mis piernas y manos. El resplandor del coche incendiado era como el faro de una torre en un mar de árboles negros. Santos detuvo el coche y volvió la cabeza.

—Tendría ya que haber explotado —dijo.

Explotó dos veces, y la segunda fue la más fuerte. Una lengua de fuego se alzó tras el telón del bosque, y Santos volvió a arrancar.

—Tardarán en reconocerlos —murmuró entre dientes—. Si es que pueden hacerlo —respiró hondo—. Siento lo que has pasado, Toni, pero no había otro remedio. Me avisó el Boleros de que el cubano no se sentía seguro después de que lo hubieses reconocido en tu club con Emilia. A pesar de mis promesas de que tú no te irías de la lengua, quiso asegurarse.

—Me da la impresión de que todo el mundo sabía lo que me iba a pasar menos yo —dije expulsando el humo de cigarrillo—. ¿De modo que el Boleros te llamó? ¿Cada vez que me ofrecías trabajar con Céspedes era para proteger mi vida, Santos?

—Mitad y mitad. Hasta ayer noche Céspedes estaba seguro de que tú y el chófer estabais compinchados. No tenía sentido matarte a ti y dejar libre al chófer; pero ayer Zacarías se puso en contacto contigo y arregló el asunto con Céspedes. Zacarías ha sido listo, y tú no. El asunto se había terminado, pero no para el cubano; no se fiaba de ti. Podrías ir con el chivatazo a la bofia en cualquier momento.

Apagué el cigarrillo y me retrepé en el asiento. Un enorme, infinito cansancio tenía entumecidos mis miembros. Corríamos por caminos forestales dando tumbos, hasta que salimos a una carretera auxiliar y de allí a la autopista de La Coruña.

Santos conducía en silencio, ensimismado en sus pensamientos. Las luces de la autopista le dibujaban arañas en la cara y en la calva.

—¿Por qué te has preocupado tanto por mí?

Se agitó inquieto. No me miró.

—¡Qué sé yo, Toni!... No me preguntes —cerró la boca, pero luego la volvió a abrir. Fue como si recitara una letanía—: Tú te mantuviste siempre lim-

181

pio, Toni, eras un ejemplo en Comisaría..., el único que le gritaba al jefe, que protestaba cuando nos puteaban y que luchaba por lo que creía justo. Fuiste el policía que yo siempre quise ser y nunca fui. Siempre te he admirado, Toni. Me hubiera gustado ser como tú —ahora me miró fuzgazmente y su mirada era triste y rememorativa—. Mírame, mira adónde he llegado. ¿Sabes lo que soy? El pelele de Céspedes, el que le saca las castañas del fuego. Después de tantos años en la policía, lo que hago es boicotear huelgas, infiltrar gente en los comités sindicales y vigilar obreros que ese cabrón de Céspedes y sus esbirros consideran rojos. Y gano mucho dinero, sí, mucho, ¿y qué?, ¿quieres decírmelo?... Me trata como a un muñeco. Y voy a confesarte algo, si hubieras aceptado las propuestas de Céspedes, en el fondo me hubieras decepcionado, a pesar de que eran un seguro de vida para ti.

—Sea por lo que sea, me has salvado la vida, Santos, y no lo olvidaré nunca. Yo también te confesaré algo. Desde que te conocí en la Brigada me pareciste una mierda. Me repateaba tu jactancia, tu chulería con la chapa y las palizas que te encantaba propinar a los detenidos, y todas aquellas irregularidades que cometías y que eran tan fáciles de tapar para una policía que nadie controlaba. Pero has arriesgado mucho para que esos bestias de Loren y Rubén no me enviasen al pozo y estoy en deuda contigo.

—Hace muchos años que había perdido mi propia estima y eso es algo que no se puede perder. Se empieza por poco, una minucia, y se baja la cuesta.

—Como Marques, Suárez y Frutos.

—Frutos no por dinero, sino por el ascenso. Frutos es un buen policía, pero un policía pobre. Ya le han comunicado oficialmente que abandone el caso, de ese modo su conciencia no sufrirá. Hoy mismo se marcha a Barcelona a hacer los cursillos de comisario. Se jubilará de comisario, algo es algo.

—¿De modo que toda la investigación que seguía Frutos estaba dirigida por Céspedes?

—No directamente, a través de Celso.

—Pero Frutos no es tonto, él lo sabía.

—Sí —murmuró Santos—, pero le quedan dos años para jubilarse.

—Santos...

—No me preguntes más, Toni —me interrumpió—, por favor, todavía trabajo para Céspedes.

Miré el reloj, eran las tres de la madrugada, pero había envejecido diez años aquella noche. Poca gente circulaba por Moncloa y la calle Princesa. Los bonitos escaparates iluminados mostraban la belleza rutilante de objetos, ropas y regalos y competían con los anuncios de las discotecas y salas de fiesta.

—Una última cosa, Santos. ¿Dónde se escondía el chófer?

—Ya se ha acabado esto, Toni. Deja al chófer en paz.

—Por mí, se ha acabado de sobra, Santos, no estoy queriendo volver a meter la nariz en nada. Céspedes puede seguir tranquilo. Pero ese Zacarías me debe algo.

—Está bien, pero prométeme que no le dirás a Zacarías que he sido yo quien te ha dado su dirección.

—De acuerdo, suéltala.

—Al final de López de Hoyos, en la urbanización La Chopera, calle del Roble 24. Es un chalé de dos plantas con piscina. La inmobiliaria que ha construido esos chalés es de Cazzo, o mejor dicho, de sus herederos. ¿Te asombras? Confieso que me asombré mucho cuando lo supe.

—Ese chófer tiene mucha mano.

—Ya lo creo, por eso Céspedes le puso a su servicio —me dirigió una sonrisa fatigada—. Estoy cansado, Toni, puede que me retire, tengo algo de dinero ahorrado.

No dije nada, ni él volvió a hablar. Subimos por la Gran Vía y bajamos por Montera hasta la Puerta del Sol. Me despedí de él con un apretón de manos.

19

Dormí más de quince horas y soñé varias veces que me caía en un pozo sin fondo adonde me había empujado alguien parecido a Loren, con dos agujeros sanguinolentos en la frente. No descansé demasiado, pero después de dos duchas heladas y de cambiarme de ropa, comencé a ver la vida de otra manera.

A las seis y media de la tarde, cuando comenzaban las primeras sombras a teñir de negro las calles, yo fumaba un cigarrillo en un taxi rumbo a la nueva casa de Zacarías. El bulto del Gabilondo en la cintura aumentaba mi sensación de relax.

La calle del Roble, como todas las de la urbanización, era tranquila y bordeada de los mismos chalés, pues se diferenciaban poco unos de otros. Despedí al taxista y caminé buscando el número veinticuatro. No era el lujo de Somosaguas, pero tampoco era mi barrio. Niños bien alimentados corrían en bicicletas y mamás en pantalones vaqueros los vigilaban a distancia. Era una idílica urbanización de clase media con pretensiones. Los casi doscientos metros cuadrados de jardín y los chalés —los había de tres tipos— se veían concienzudamente cuidados.

El número veinticuatro era exactamente igual al veintitrés, con la diferencia de que en el veintitrés había en la puerta un Ford Fiesta reluciente y en el veinticuatro nada. Las luces de la casa de Zacarías estaban encendidas.

Me encaramé a la verja del jardín y salté dentro. No se veía a nadie en la parte delantera. La piscina era diminuta, pero tenía su escalerita y todo y su sombrilla para el sol. Di la vuelta a la casa.

En la puerta trasera, sentada en una silla baja, la madre de Zacarías pelaba judías verdes. Desenfundé el Gabilondo y se lo coloqué en la cara. Las judías se deslizaron al suelo y abrió un palmo de boca.

—¿Qué... qué quiere usted? —tartamudeó.

—¿Está el nene en casa? —le pregunté.

—¿Qué quiere?

—No se mueva y no pasará nada.

Pasé a su lado y empujé la puerta de la cocina, que estaba en sombras. Detrás de mí, la vieja comenzó a gritar.

—¡Zacarías, Zacarías! ¡Ay, dios mío, Zacarías!

Algo se descorrió en la sala contigua. Entré de golpe y sorprendí al chófer levantándose de un sofá gris tan grande como el catafalco de un filisteo. Enfrente tenía una televisión a colores sin sonido. Zacarías no dio muestras de asombrarse.

—Hola, plasta. ¿Cómo estás?

La vieja entró con la respiración agitada.

—¡Hijo...!

—Es un amigo, madre. Vuélvase a la cocina, ande.

Parecía una loba hambrienta. Apretó las mandíbulas, me miró con ojos de fuego, dio media vuelta y regresó a la cocina. Zacarías apagó la televisión.

—¿Qué te trae por aquí, plasta?

—Me debes dinero.

—¿Yo?

—La caja de Montecristos. Te cobraré lo que me costó, tres mil doscientas cincuenta. ¿Tienes la bondad de dármelo?

—Eres un tipo curioso, plasta.

—No bromeo, Zacarías, y no voy a repetírtelo. Quiero mi dinero.

Me observó unos instantes, luego se levantó, fue hasta un aparador de madera clara, encima del cual había un cuadro de un viejo tocando una guitarra, y abrió uno de los cajones.

—¡Cuidado, te estoy apuntando!

Se dio la vuelta.

—Voy a darte el dinero.

—Espero que sí. Porque al menor movimiento te agujereo el pellejo.

Sacó tres billetes y los agitó en el aire.

—Tres mil doscientas cincuenta, Zacarías.

Cerró el cajón y se registró los bolsillos de los pantalones hasta que tuvo todo el dinero. Me acerqué y me lo metí en el bolsillo.

—Ya estamos en paz, plasta. ¿No quieres sentarte?

—No.

—¿Quieres beber algo? ¿Qué te apetece? Tengo ginebra, whisky, ron..., vermut. ¿Qué quieres?

Guardé el Gabilondo en su funda y me senté en el sofá. En uno de los rincones había una barra de bar en miniatura con tres taburetes y una estantería repleta de bebidas. Al lado, una escalera subía hasta el piso de arriba. La habitación era grande y luminosa, pero estaba amueblada de forma caótica. Aparte del sofá, había dos sillones, el aparador, el mueblebar y la televisión. Cada uno era del modelo más recargado.

—Un gin-tonic —encendí un cigarrillo.

Lo preparó y luego él escanció ginebra pura en otro vaso. Me dió el mío y se sentó en la otra esquina del sofá. Bebí un sorbo.

—Te va bien, ¿eh, Zacarías?, has progresado mucho.

—Sí, plasta, bastante. Y no está mal para alguien como yo, y a mi madre le gusta. Se ha pasado la vida fregando casas de ricos y cines de barrio. A partir de ahora se acabó la mierda. Voy a montar un bar.

—¿Con el dinero de Lucía o de Céspedes?

No llegó a responderme. La puerta se abrió y la vieja asomó la cabeza en silencio.

—No pasa nada, madre. Ya le dije que es un amigo. Vuélvase a la cocina —se dirigió a mí—: ¿Por qué no te quedas a cenar, plasta? Madre es muy buena cocinera y ya es hora de que tengamos invitados. ¿Qué dices?

—No, en cuanto me beba esto me iré.

—Ande, madre, váyase —la vieja se fue—. Tú te lo pierdes, plasta. Madre cocina de maravilla. A lo mejor hasta pongo un restaurante. Cuando la gente coma lo que cocina mi madre, el restaurante se llenará. Tienes que venir, ya verás.

—Te preguntaba, Zacarías, que si el dinero es de Lucía o de Céspedes.

Hizo un ruido parecido a la risa normal.

—¿Qué es lo que te pasa? ¿Por qué nosotros, los servidores, entre los que te incluyo, plasta, tenemos que ser honrados? ¿Quieres decírmelo? Ellos no lo son, extorsionan, chantajean, engañan y explotan sin compasión, y nosotros, por el contrario, tenemos que jugar a otro juego. ¿Tienes respuesta a eso, con todo lo listo que eres, plasta? Seguro que no. Lucía es una perra salida y lleva subiendo a mi cama desde que entré al servicio de Cazzo. Era como tomar el té o jugar a las cartas con sus amigas... Dos días a la semana tocaba estar con el chófer... Las señoras lo hacen bien.

—Y tú le sacabas la pasta.

—Naturalmente. Si ellos no dan nada gratis, yo tampoco. Desde el principio quedó estipulado de esa manera. Llevo al servicio de señores casi toda la vida, y la diferencia que existe entre ellos y yo está en las apariencias. Ellos fingen continuamente y nosotros, la gente de nuestra clase, tú y yo, plasta, no tenemos necesidad de aparentar nada. Somos lo que somos.

—¿Con la hija, también?

—No, no soy tan tonto. Lo que pasa es que la criaturita odiaba a la madre con fervor y descubrió lo nuestro. Pretendió que yo cambiara de palo y le mintió a la madre. Lucía, al principio, pensó que yo estaba liado con la hija y me abofeteó... Más tarde se arrepintió. Esta casa es la prueba.

—Qué bien, Zacarías. Eres un águila para los negocios. ¿Sigues viéndote con la señora?

—Por supuesto, viene aquí —se bebió la ginebra de golpe y yo vacié mi vaso.

Nos quedamos en silencio. Desde la cocina escuché ruido de cacerolas y un reloj dio la hora. Observé que todo estaba limpio, inmaculado, de una limpieza exagerada.

—Me marcho, Zacarías, espero que te vaya bien —me levanté y dejé el vaso vacío encima del televisor. Zacarías se levantó también——. Desde que fuiste a mi casa no hago más que preguntarme la razón de tu visita. No creo que fueras a comprobar por qué te buscaba yo. Te veo más bien como embustero que como tonto. Creo que fuiste a comprobar si yo sabía, igual que tú, dónde se había escondido el rubio.

Se le demudó la cara. Fue la primera vez que noté que Zacarías encajaba un golpe.

—¿Ah, sí?

—Sí, en caso de que fuéramos dos los que sabíamos el asunto, ya no podrías pedirle lo mismo a Céspedes a cambio de tu silencio. Fue así, ¿verdad?

—Siempre dije que eras un tipo listo, plasta.

—Viste al rubio salir de El Gavilán y creo que también viste a otra persona, otra persona que tú conoces bien. La policía y Céspedes han pensado hasta hace poco que yo también la vi, pero yo no vi a nadie. Si Lucía llega a saber que tú estás encubriendo a los asesinos de su marido, a pesar de los cuernos, no le hará gracia, estoy seguro. Y entonces tendrás que despedirte del chollo.

Ni un tigre daría ese salto. Me cayeron encima cien kilos de músculos. Se me vinieron encima sin que me diera tiempo de sacar el Gabilondo. Rodamos al suelo y sus puños, grandes como mazas, comenzaron a machacarme la cara. Cuando estaba a punto de perder el conocimiento, sus manos me atenazaron la garganta y comenzó a apretarla. Había una furia homicida en sus ojos y yo no podía sino agitar mis brazos. Su cuerpo parecía insensible a mis golpes.

Entre una niebla de sangre vi a su madre al lado.

—¡Mátalo, hijo, mátalo! ¡No dejes que nos haga daño! —pude escuchar borrosamente.

Las manos aflojaron su presión en mi cuello. Zacarías se volvió a su madre.

—¡Fuera de aquí, madre! ¡Fuera!

Le clavé los dedos en los ojos con las fuerzas que me quedaban. Zacarías aulló como sólo lo hacen los animales salvajes y se arrastró por el suelo, gimiendo y apretándose la cara.

Me puse de pie justo cuando la madre se me vino encima dando alaridos. Sus uñas engarfiadas se me clavaron en el cuello y sentí sus dientes tanteándome la yugular. La golpeé fuerte en la cabeza, con el ansia de la supervivencia. Mis puños la lanzaron contra el sofá, resbaló y cayó al suelo sin conocimiento. Me volví justo para darme cuenta de que Zacarías intentaba atacarme, con los ojos llenos de sangre, pero yo había sacado mi Gabilondo y le golpeé en la cabeza. Le di cuatro veces antes de que cayera a mis pies. Después salté sobre él, crucé la cocina, el jardín, abrí la puerta y corrí a buscar un taxi.

El cierre del bar de Santos estaba a medio bajar, marcando un rectángulo de luz sucia en la calle. El rótulo, Bar Corona Verde, lo habían apagado. Me agaché y pasé adentro.

Un tipo pálido y sin afeitar, con patillas que le llegaban hasta la quijada, manipulaba unos vasos en el fregadero. El local estaba en penumbra, con una sola luz de neón en el mostrador que iluminaba la cabeza del camarero.

Me senté en uno de los taburetes, saqué el paquete de cigarrillos y encendí uno.

—Un coñac —pedí.

Se limpió las manos en el mugriento uniforme y siguió lavando vasos. Escuché a Lolita Garrido cantar *Mi perrita pequinesa* desde la máquina ponediscos de la entrada. El disco lo había puesto una mujer gorda con un sombrero que parecía de playa. Se alejó hasta el fondo del local canturreando con voz de falsete.

El sujeto de los vasos tiró de un cable que tenía al lado y la música cesó. La mujer emitió un gruñido de borracha. Se había sentado en uno de los rincones y cuando mi vista se acostumbró a la luz del local, pude ver, dos mesas más allá, a un hombre que gemía débilmente, al tiempo que movía la mano rítmicamente a la altura de los pantalones.

—¡Eh, vosotros, a la puta calle! —gruñó el camarero.

—Un coñac, amigo —repetí.

Entonces me miró. Se secó las manos y agarró de la estantería una botella como si fuera un frasco de nitroglicerina. La destapó, vertió el coñac en una de las copas que estaba lavando y la puso encima del mostrador a mi lado. Se volvió a los parroquianos.

—¡He dicho que a la puta calle!

Le di una moneda de diez duros y se la guardó en el bolsillo.

—¿Está arriba Santos el Calvo? —le pregunté.

Se apoyó en el mostrador.

—No sé quién es Santos el Calvo —respondió.

—Arriba hay un garito desde hace lo menos diez años —señalé la escalera que tapaban unas cortinas de chapas.

—¿Ah, sí? —se volvió a los parroquianos y gritó—: ¡Venga, a la calle! ¡Tú, zorra, a la puta calle o te saco a patadas!

El de la mano emitió una especie de ronquido inarticulado, trasteó un poco más bajo la mesa, se levantó y salió despacio. La mujer gorda del sombrero intentó levantarse, gruñó, y a la segunda intentona pudo ponerse en pie. Le distinguí una cara hinchada y roja cuando cruzó a mi lado rumbo a la salida.

—El de las patillas tomó una barra de hierro y la acarició con unas manos grandes y rojas.

—Esta noche estoy cansado de borrachos —dijo.

Bebí otro traguito de coñac.

—Santos el Calvo me conoce. ¿Por qué no terminamos la noche en paz?

Abrió la trampilla y salió del mostrador. Era mucho más bajo de lo que me había figurado, pero en cambio parecía más ancho de espaldas.

—Ahora te toca a ti —blandió la barra por encima de su cabeza.

—Me llamo Antonio Carpintero. Y fui compañero de Santos en la policía.

—¿Sí?

Había oído hablar de mí.

—Sí, soy Toni Romano.

Señaló una puerta abierta y unos escalones.

—Ahí está el señor Santos.

Terminé la copa de coñac. Luego rodeé el mostrador y subí los escalones.

La puerta del garito estaba acolchada, de manera que tuve que llamar fuerte. Al otro lado alguien arrastró los pies.

—¿Quién? —preguntó una voz aguardentosa.

—Toni Romano. Quiero hablar con El Calvo.

—¿Toni?

—Sí.

Se abrió un ventanillo en la puerta y se asomó una cara que parecía un pan amasado con dificultad.

—¡Ah, Toni! —masculló.

Descorrió el cerrojo, abrió la puerta y se echó a un lado para que pasase. El mal olor casi me lanza escaleras abajo. Pasé a una habitación amueblada con una mesa sin barnizar llena de tebeos y revistas a colores, dos sillas, un perchero colmado de abrigos y chaquetas y una bacina en uno de los rincones. Enfrente había otra puerta cerrada. El portero era Pepe Cejuela, el Ducati, un mangante profesional.

—¿Qué pasa contigo, Toni? —ladró.

—Nada, a ver al Calvo.

—¿No vienes a jugar?

—No quiero que me despluméis.

Carraspeó y miré a otro sitio. Lanzó un gargajo que fue a caer justamente dentro de la salivera, aunque estaba a más de cinco metros de donde se encontraba.

—Tengo que registrarte, Toni.

—¿Y eso?

—Órdenes del jefe. No quiere que entre gente con hierros.

Extraje mi Gabilondo. El Ducati entrecerró los ojos.

—Mira qué bonita —dijo.

—Guárdala.

La cogió como si se tratase de una cría de rata.

Moví el picaporte y entré en la otra sala. El ambiente estaba tan cargado que podía bastar una cerilla para que estallase. Ninguna de las cabezas que se inclinaban fervorosamente sobre los cartones se movió al entrar yo. Los gritos apagados y las interjecciones estaban dirigidas al juego, y nada que no fuera eso importaba.

Cada mesa tenía su luz y un encargado que hacía de banca y se llevaba un tanto por ciento del juego final de la noche. Había seis mesas y todas llenas de apostantes. Se jugaba exclusivamente a los dados, llamados *pastos* en el argot. En cada mesa había pintados tres cuerpos. En el del centro estaba el siete y era donde se arrojaban los dados, el de la izquierda estaba dividido en cinco casilleros con los números 2-3-4-5-6 y el de la derecha, lo mismo, pero con los números 9-10-11-12. Los jugadores permanecían de pie y se cambiaban a menudo de mesa. La apuesta más baja era de una libra y la más alta de cinco mil pesetas, que se denominaba en el argot del juego un pase.

Me detuve en una de las mesas, donde un tipo medio rubio, fuerte y tan ancho como alto, ejercía de mano. Me reconoció y me enseñó los dientes en una sonrisa que estalló a la luz de arriba. Era Ángel Carrillo, el Posturas.

—Vaya, Toni, creí que te habías muerto.

—Hombre, Posturas. ¿Trabajas para el Calvo?

Se encogió de hombros y siguió agitando el cubilete. Los jugadores se inclinaron sobre el cartón colocando fichas.

—Hay que buscarse la vida.

—¿Dónde está el Calvo?

Soltó los dados. Salió un cuatro en uno, y un seis en el otro. Los que habían apostado en la casilla del diez doblaban su dinero y recuperaban todas las apuestas dirigidas al cuerpo de la derecha, donde estaban los mayores de siete.

—En el despacho —hizo un gesto con la cara, señalándome una puerta.

Al mismo tiempo que me hablaba, sus ágiles manos repartían las fichas entre el ganador y los igualados y se embolsaba el resto en una cartera terciada en la cintura.

Los dejé con su juego y me encaminé al pequeño mostrador de las fichas. Un tío con cara de liebre me miró con atención. Lo rodeé y empujé una puerta pintada de verde.

.Entré en una habitación grande y atiborrada de muebles, donde había una chimenea artificial. Parecía un muestrario de un chamarilero. Un sofá de peluche rodeaba uno de los rincones y había cuadros prolijamente enmarcados, estanterías con libros bien alineados, de esos que no se leen, y una alfombra que envidiaría un oso. Santos estaba de pie con una copa en la mano izquierda y el teléfono en la otra. Asentía con la cabeza cuando entré.

—¡Un momento! —dijo al teléfono, y tapó el auricular colocándoselo en el pecho—. ¿Qué quieres, Toni?

Miré distraído la decoración del cuarto y me acerqué a la chimenea.

—Termina, Santos. Tengo que charlar contigo.

Volvió al auricular.

—Es Toni... Sí... —asintió de nuevo. Se volvió a mí—: Quieren hablar contigo.

Me tendió el teléfono y escuché la voz de Céspedes.

—¿Carpintero? Escúcheme, no cuelgue. Tengo que decirle algo que le interesará...

—No tengo nada que hablar con usted, Céspedes.

—Sí, quiero proponerle un trato —hizo una pausa—. Yo sé cuándo pierdo y cuándo gano y usted debería saber lo mismo. Si acude a la policía con las tonterías que le pasan por la cabeza, está listo. Le pondré una denuncia por injurias y la ganaré. ¿Me escucha? No hay una sola hierba torcida en el lugar adonde lo llevaron Loren y Lacampre, y en lo que respecta a ellos, es como si nunca hubiesen existido, nadie se dará cuenta de que han desaparecido, de modo que no tiene ninguna prueba. Piénselo bien, porque Santos no dirá una palabra, y menos Zacarías. Ahora le toca jugar a usted y espero que no se precipite. Lo único que tiene como evidencia es a un muchacho rubio con la cara picada de viruela, al que creyó ver en un lugar oscuro. Ese imbécil de hermano de Lacampre mató a Cazzo por accidente, no era eso lo que queríamos hacerle... En fin, eso ya ha pasado. Santos le dará cien mil pesetas como compensación por todo lo que se ha molestado. ¿Qué dice?

—No.

—Como quiera, pero le recuerdo que el caso está cerrado y que nunca se volverá a hablar del chico rubio. Legalmente nunca ha salido de Miami y, de todas formas, por la cuenta que le trae, tardará mucho en volver a España... Toni, hay trabajo para usted, Santos tenía razón al cuidarle tanto. Usted vale mucho.

Retiré el auricular y, lentamente, colgué.

Santos me observaba con otra copa en la mano. Me la tendió, la tomé y me senté en el sofá de peluche.

Pasé bastante tiempo así.

—Sé realista, Toni —carraspeó Santos.

—Claro, por supuesto. Dime, Santos, ¿cuánto tiempo estuviste en la policía?

—Quince años.

—Qué bien.

—Así es la vida, Toni. No te hagas mala sangre. ¿A ti qué más te da? Ha sido una pelea entre Céspedes y Cazzo. Nadie quería matarlo. Fue ese imbécil de Gustavo.

—¿Has mandado limpiar de chatarra el chalé aquel en el campo?

—Está completamente limpio, jamás descubrirán los cadáveres. Nunca se sabrá que yo los maté —hizo una pausa—. Cazzo era un hijo de puta. No puedes figurarte hasta qué punto. Mantenía relaciones aparte con nuestros clientes a espaldas del señor

Céspedes. Quería el contrato a cualquier precio. Y eso no era lo único, te aburrirías si te contase lo retorcido que era Cazzo.

—Sí, me aburriría. Y Céspedes le encargó a Lacampre que le hiciera chantaje a Cazzo, probablemente con esa Emilia. Cazzo tenía debilidad por las saunas. No conozco los detalles, pero debió de ser algo así.

Santos no despegó los labios. Apuré la copa.

—Nunca hubo esos documentos. El rubito debió de enseñarle a Cazzo fotografías para chantajearle, pero se las llevó. ¿Para qué tanto buscar a Zacarías? Me he preguntado muchas veces cómo desapareció el rubio con tanta facilidad y he sacado una conclusión. Alguien lo escondió en su coche —hice una pausa—. De ese modo desapareció de escena. Ese alguien podías haber sido tú, Santos.

—Bueno...

—Sí, fuiste tú. De ahí el interés de todos vosotros por encontrar al chófer de Cazzo. Ibais a comprarlo o a matarlo. Zacarías vio cómo el rubio se escondía en tu coche y teníais miedo de que hablara. Zacarías lo sabía todo.

—Se hace tarde. Tengo que regresar al local.

—Claro, hombre. Los negocios son los negocios. ¿Y qué pasó con Baldomero, el dueño de El Gavilán? Lo suicidasteis también pensando que sabía algo?

—No, Toni, te lo juro. No tenemos nada que ver con eso. Se mató porque la policía le cerró el local y le acusó de proxenetismo... Debes creerme.

—¿Y Felipe, el tabernero? ¿Y Emilia, la putilla?

—Marques y Suárez se pasaron interrogando a Felipe. Jefatura lo sabe y lo enfoca como un accidente. Lacampre mandó asesinar a Emilia al resultar muerto Cazzo. Le entró miedo.

—Tanta perfección me da asco, Santos.

Me levanté, atravesé la sala de juego, recogí mi Gabilondo de manos del Ducati y me fui.

Santos se quedó en el sofá de peluche.

El asunto del viaje con Loren a aquel chalé en construcción me hizo pensar mucho. Al cubano y al barbas nadie los echaría de menos, pero si yo hubiese desaparecido, tampoco nadie me echaría en falta, por la sencilla razón de que no tenía a nadie. Empecé a pensar en aquello y a añorar a Lidia. Deseaba que ella volviese conmigo. Pero no volvió.

Recordaba cómo se reía o la forma de coger el cigarrillo, y mi casa se volvía cada vez más gris y anodina. Empecé a maldecirme por ser tan estúpido. Tanto tiempo cenando y comiendo solo y ahora ya no lo soportaba. Una vez salí de estampida de El Danubio porque creí verla en la acera de enfrente.

De modo que una noche decidí tragarme el orgullo y, vestido como nunca, lavado y peinado, me personé en La Luna de Medianoche.

Todo seguía igual, excepto que yo ya no estaba allí. Lidia seguía al frente del guardarropa y me pareció más bella que nunca, pero apenas si me miró. Contestó distraída a mis preguntas, como sólo lo pueden hacer las mujeres cuando ya no les interesa un hombre. En cambio, lanzó frecuentes y encendidas miradas a Braulio, que había ascendido a camarero de mesa y se pavoneaba por allí con un uniforme nuevo.

Los compañeros fueron amables. Todos me palmearon la espalda y se interesaron por mi salud. Me tomé dos copas con ellos y prometí volver para recordar los viejos tiempos.

Pero nunca más pisé La Luna de Medianoche y tampoco volví a ver a Lidia.

Madrid, invierno de 1981

Este libro
se terminó de imprimir
en los Talleres Gráficos
de Printing 10,
Móstoles, (Madrid)
en el mes de febrero de 1996